Mode d'emploi de mon bébé

Conseils de dépannage et instructions de maintenance pour la 1re année d'utilisation

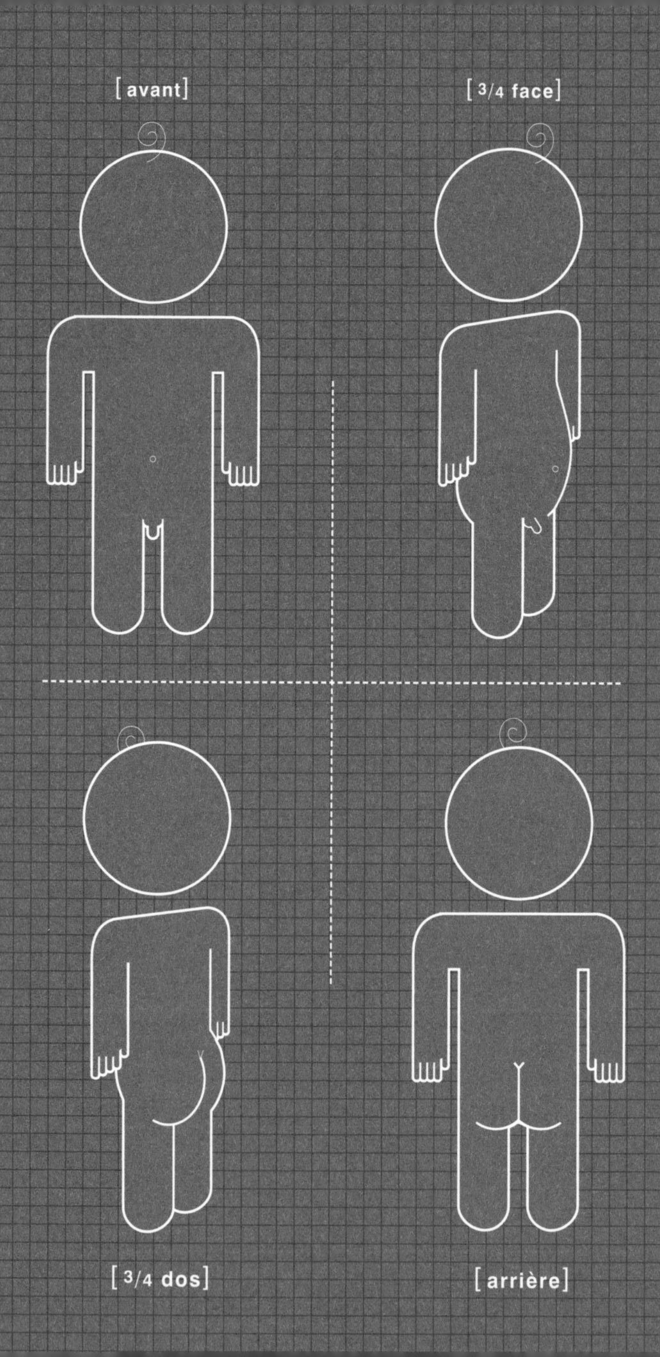
[avant]
[3/4 face]
[3/4 dos]
[arrière]

Mode d'emploi de mon bébé

CONSEILS DE DÉPANNAGE ET INSTRUCTIONS DE MAINTENANCE POUR LA 1re ANNÉE D'UTILISATION

par le Dr Louis Borgenicht
et Joe Borgenicht

Illustrations de Paul Kepple et Jude Buffum

MARABOUT

Publié pour la première fois aux États-Unis par
Quirk Books
215 Church Street
Philadelphia, PA 19106

Design de Paul Kepple et Jude Buffum @ Headcase Design

POUR L'ÉDITION FRANÇAISE :
Traduction : Tina Calogirou
Réalisation : Atelier Gérard Finel, Paris
Relecture, adaptation : Martine Fichter, Marie-Pierre Griffon
Mise en pages : Atelier Christian Millet

40.9490.0/05
N° dépôt légal : Juin 2009
ISBN : 978 - 2 - 501 - 04547 - 6
Imprimé en Italie par Rotolito Lombarda

Table des matières

Bienvenue **Bébé !**

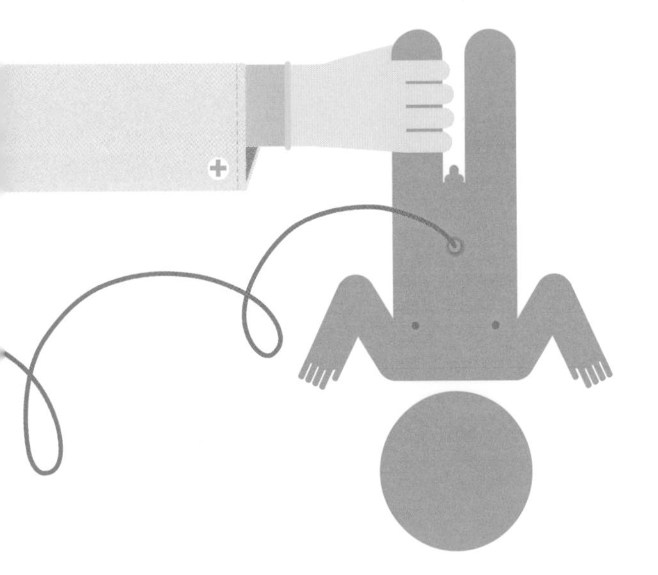

ATTENTION !

Avant de commencer la lecture de ce manuel, inspectez attentivement le modèle qui vous a été livré et vérifiez qu'il comporte bien tous les composants décrits p. 16-19. Si l'une de ces pièces manque ou est endommagée, contactez immédiatement le chargé de maintenance du bébé.

Bébé est arrivé : félicitations !

Le bébé présente des similitudes étonnantes avec quantité d'appareils équipant votre foyer. Ainsi, tout comme votre PC, le bébé a besoin d'une alimentation en énergie pour être en mesure d'exécuter ses nombreuses tâches et fonctions. À l'instar de votre magnétoscope, le bébé est équipé d'une tête exigeant des nettoyages fréquents afin de donner les meilleurs résultats. Et comme votre voiture, le bébé peut émettre des gaz toxiques dans l'atmosphère.

Toutefois, il y a une différence fondamentale : les PC, les magnétoscopes et les voitures, eux, sont livrés avec un mode d'emploi – d'où l'idée d'écrire le présent ouvrage. *Mode d'emploi de mon bébé* est un manuel complet, qui permettra aux utilisateurs du nouveau-né d'obtenir une performance maximale et les meilleurs résultats possibles. Nul besoin de lire ce manuel d'un bout à l'autre : dans un souci de clarté, il a été divisé en sept chapitres distincts. En cas de question ou de problème, reportez-vous simplement à l'un des chapitres suivants :

INSTALLATION À DOMICILE (p. 20-37) vous décrit les procédures idoines pour préparer l'arrivée du bébé, avec des informations pratiques sur la configuration de la chambre et sur les accessoires améliorant la portabilité du bébé, comme les poussettes et les porte-bébés.

ENTRETIEN GÉNÉRAL (p. 38-65) présente diverses techniques qui ont fait leurs preuves pour la manipulation, le portage et l'apaisement du bébé. Vous y découvrirez également des procédures avancées, notamment l'emmaillotement et le massage du bébé, ainsi que divers accessoires (« jouets ») susceptibles d'accroître la performance de son système d'exploitation.

ALIMENTATION (p. 66-105) s'intéresse au système d'approvisionnement énergétique du bébé, avec des instructions détaillées pour l'allaitement, la préparation des biberons, l'assistance au rot et l'introduction des aliments solides.

PROGRAMMATION DU MODE SOMMEIL (p. 106-125) expose des techniques éprouvées permettant d'apprendre au bébé à faire ses nuits. Ce chapitre comporte aussi des conseils pratiques : que faire en cas de dysfonctionnement du mode sommeil ? Comment gérer une stimulation excessive ? Comment configurer la zone de sommeil du bébé ?

MAINTENANCE GÉNÉRALE (p. 126-155) est consacré à la sécurité, à l'entretien et au bien-être du nouveau-né, tous modèles confondus. Vous y trouverez des instructions détaillées sur la mise en place des couches, le nettoyage du bébé et la coupe de ses cheveux.

CROISSANCE ET DÉVELOPPEMENT (p. 156-179) apprend à l'utilisateur à tester les réflexes du bébé et à identifier des jalons importants de son développement. Ce chapitre présente également des applications motrices et sensorielles avancées : la marche à quatre pattes, la mise en station debout et le parler-bébé.

SÉCURITÉ ET PROCÉDURES D'URGENCE (p. 180-217) présente des techniques permettant de sécuriser l'environnement du bébé ainsi que des conseils extrêmement importants sur la manœuvre de Heimlich, la réanimation cardiorespiratoire et le suivi de la santé du bébé. L'utilisateur y trouvera aussi un guide alphabétique des bogues, de l'asthme aux vomissements en passant par les croûtes de lait.

Utilisé comme il se doit, votre bébé fonctionnera durant de longues années en vous procurant bonheur et amour. Toutefois, il faut un certain temps avant de bien comprendre son fonctionnement. Au cours des mois à venir, il est possible que des sentiments de frustration, d'incompétence et de désespoir vous submergent, autant de manifestations parfaitement normales qui disparaîtront rapidement. Très bientôt, changer une couche ou réchauffer un biberon vous paraîtra aussi simple que démarrer votre PC ou programmer votre radio-réveil. Ce jour-là, vous saurez que vous avez gagné vos galons d'utilisateur. Nous vous souhaitons bon courage – et beaucoup de bonheur avec votre bébé !

AUTRES ACCESSOIRES (non fournis)
Accessoires à garder à portée de main pour la mise en service, la manipulation et la maintenance du bébé
LAIT MIAM MIAM
LAIT MIAM MIAM
LAIT MIAM MIAM
C-RÉAL
Junior
Biberon
Lait maternisé
Céréales
Tasse à bec
Tétine
Éponges
Savon
Serviette et couverture
PIC PAS
Shampoing pour bébé
TOUT-DOUX
VASELINE
FESS LISS
Calme les démangeaisons
ET HOP!
SI FRAIS SI PROPRE
Shampooing
Crème
Vaseline
Lotion
Lingettes
Couches
Vêtements
Couvre-chefs
Jouets

Le bébé : diagramme et liste des composants

Les modèles les plus récents sont quasiment tous livrés avec les composants et les fonctionnalités détaillés ci-dessous. Si ce n'est pas le cas de votre bébé, consultez immédiatement son chargé de maintenance pédiatrique.

La tête

Tête : peut paraître étrangement volumineuse au premier abord, voire même conique dans certains cas, selon le modèle et le mode de livraison. Les têtes coniques s'arrondissent au bout de quatre à huit semaines.

Circonférence : le périmètre crânien moyen est de 35 cm, tous modèles confondus. Tout périmètre compris entre 32 et 37 cm est considéré comme normal.

Cheveux : ne sont pas préinstallés à la livraison sur tous les modèles. Couleur variable selon les modèles.

Fontanelles (antérieure et postérieure) : les fontanelles sont deux zones molles sur le crâne du bébé, là où les os ne sont pas encore soudés. N'appuyez jamais sur ces zones. À la fin de la première année (ou peu de temps après), elles se seront refermées.

Yeux : la plupart des modèles blancs sont livrés avec des yeux bleus ou gris, tandis que les modèles africains et asiatiques sont généralement équipés d'yeux marron. Sachez que la pigmentation de l'iris peut changer à plusieurs reprises au cours des premiers mois. La couleur se stabilise entre neuf et douze mois.

Cou : composant pouvant paraître inutile à la livraison. Il ne s'agit aucunement d'un défaut de fabrication. Le cou deviendra opérationnel dans deux à quatre mois.

Le corps

Peau : l'épiderme du bébé peut se révéler extrêmement sensible aux substances chimiques présentes dans les vêtements neufs (non lavés) ou bien réagir aux produits contenus dans la lessive ordinaire. Mieux vaut utiliser pour toute la famille une lessive sans parfum et sans substances chimiques.

Cordon ombilical : ce cordon d'alimentation se desséchera avant de tomber au bout de quelques semaines. Il doit rester bien propre et sec, pour éviter toute infection et permettre la formation d'un nombril sain (voir p. 212).

Anus : c'est le port de sortie des déchets solides du bébé. Un thermomètre inséré dans ce port permet de mesurer la température du bébé, qui devrait être d'environ 37 °C (voir p. 194).

Organes génitaux : il est normal que les organes génitaux du bébé paraissent grands. Cela ne laisse en rien présager de leur forme ou de leurs dimensions futures.

Duvet : beaucoup de modèles sont livrés couverts de duvet, sur les épaules ou sur le dos. Il disparaît au bout de quelques semaines.

Poids : le poids moyen à la livraison est de 3,4 kg. La plupart des modèles pèsent entre 2,5 et 4,5 kg.

Longueur : la longueur moyenne des modèles est de 51 cm à la livraison. La plupart mesurent entre 45 et 56 cm.

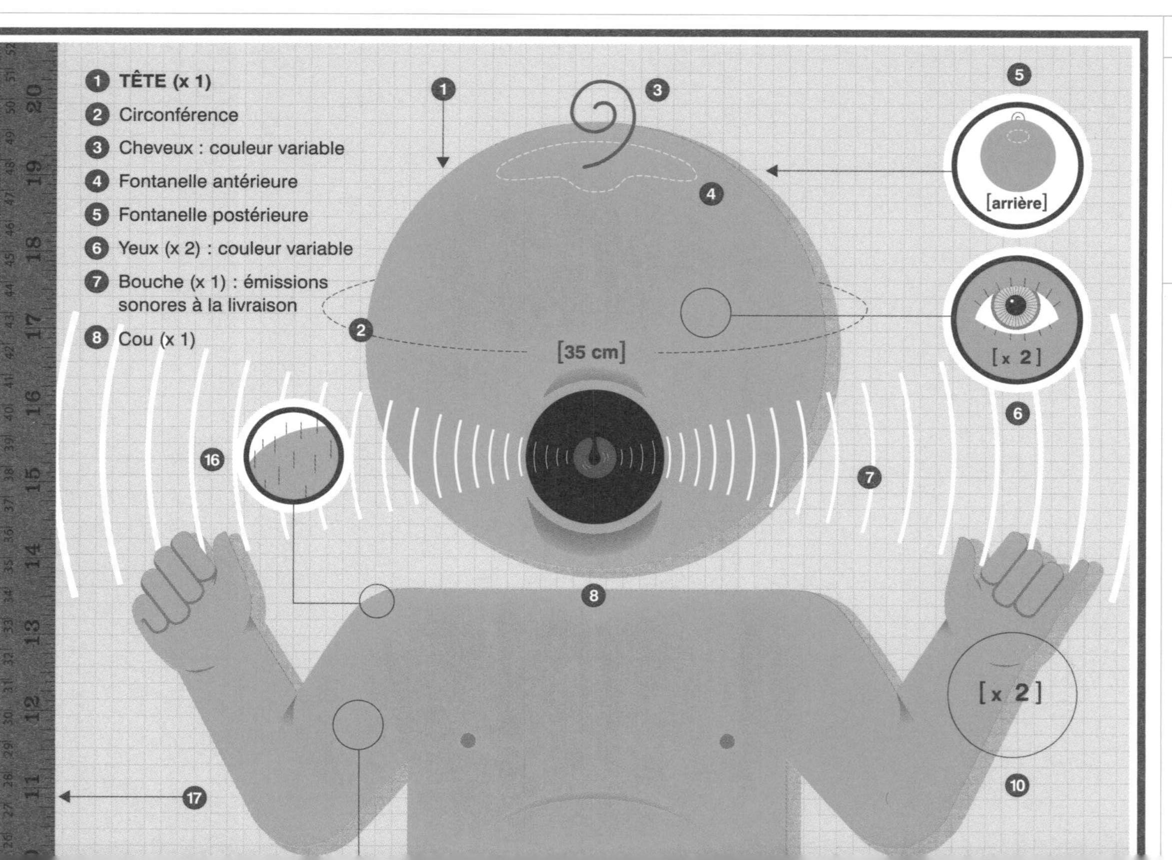
1 TÊTE (x 1)
2 Circonférence
3 Cheveux : couleur variable
4 Fontanelle antérieure
5 Fontanelle postérieure
6 Yeux (x 2) : couleur variable
7 Bouche (x 1) : émissions sonores à la livraison
8 Cou (x 1)
[arrière]
[x 2]
[35 cm]
[x 2]

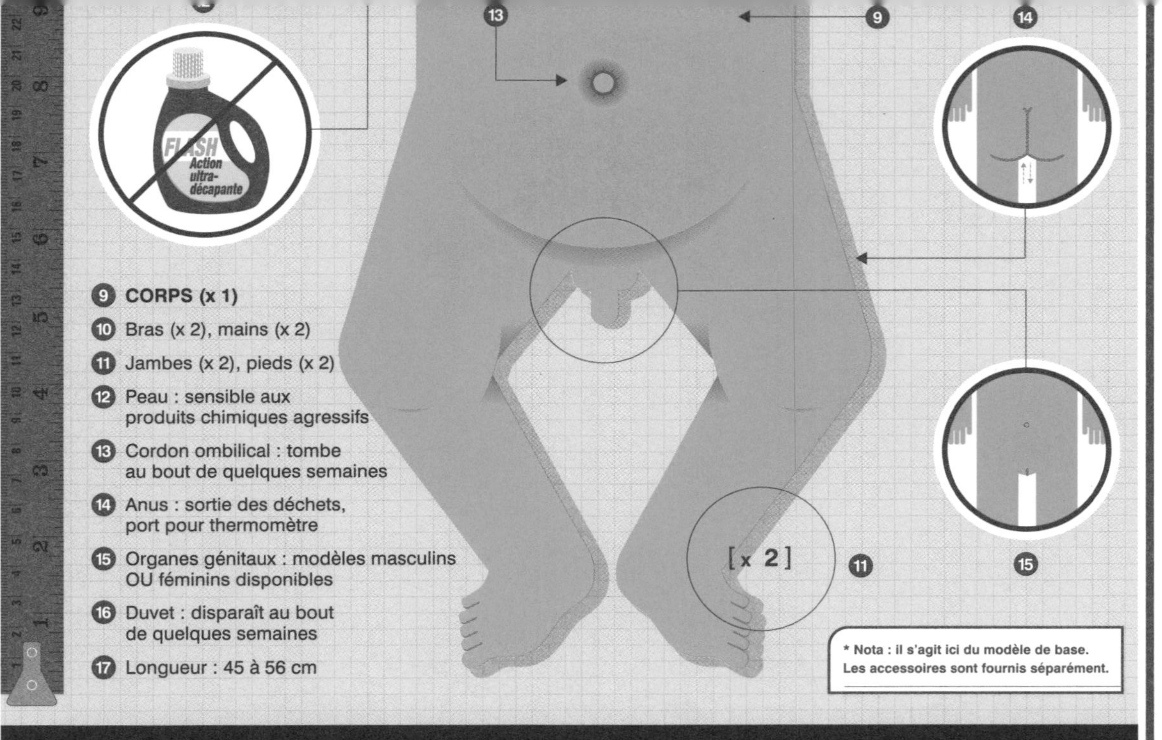

LISTE DES COMPOSANTS : examinez attentivement le modèle livré.
Si un ou plusieurs composants manquent, contactez immédiatement le chargé de maintenance pédiatrique.

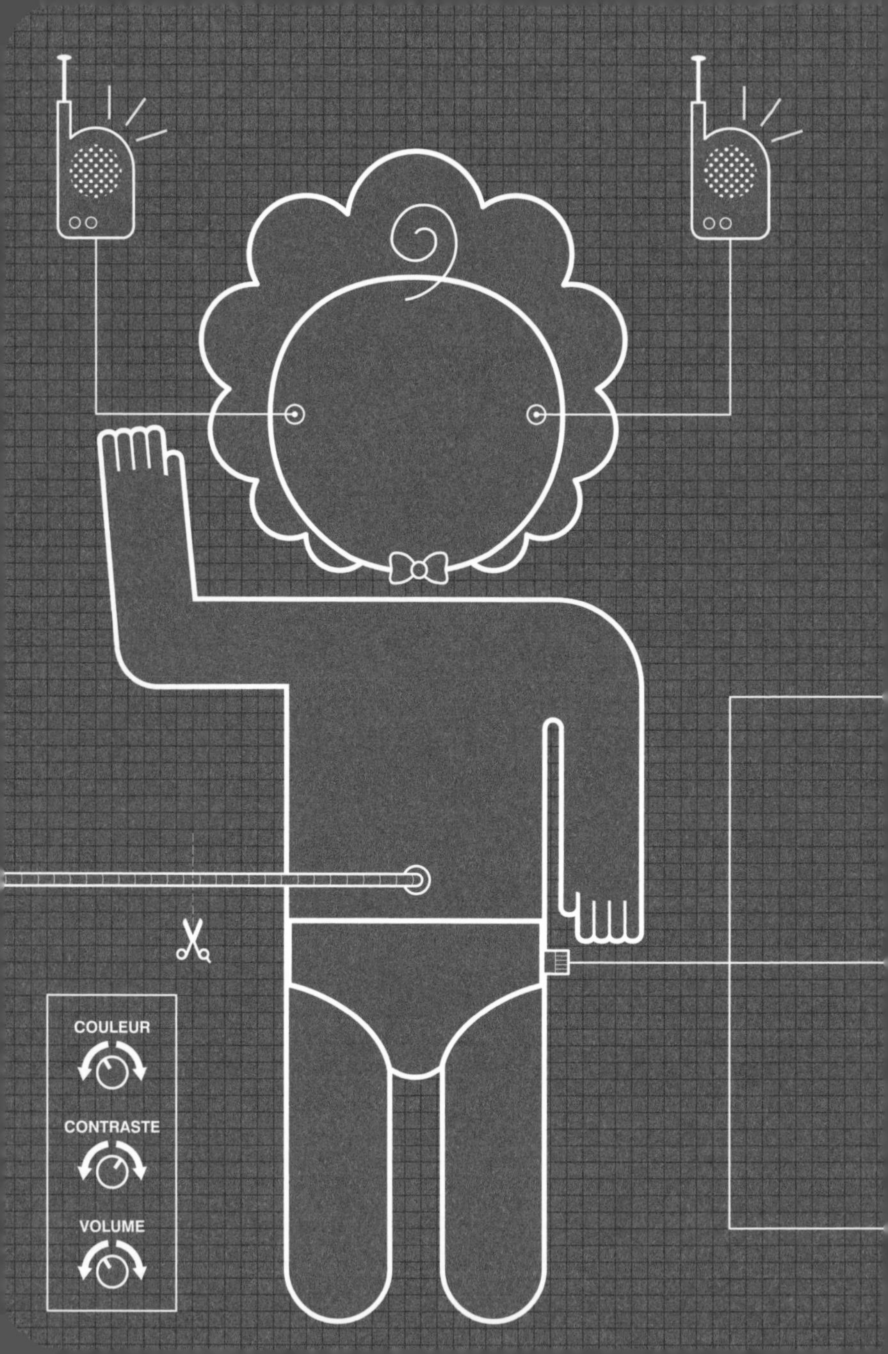
COULEUR
CONTRASTE
VOLUME

[Chapitre 1]

Installation à domicile

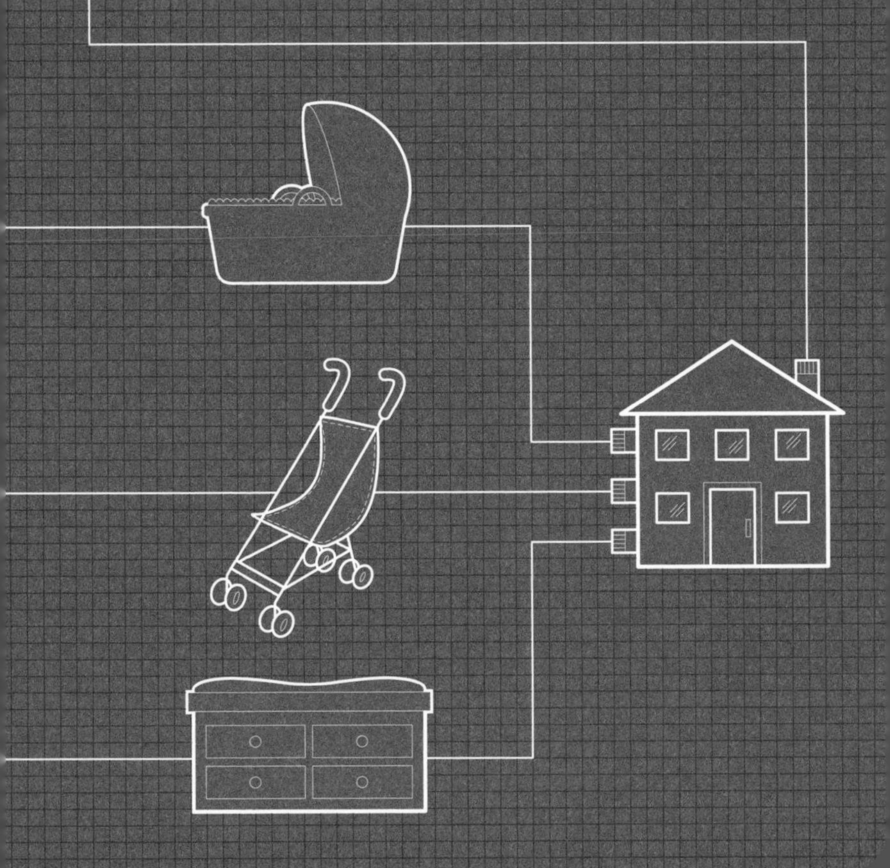

Préparation de l'environnement

La mobilité du nouveau-né étant réduite, la sécurisation de son environnement n'est pas une priorité immédiate (voir p. 182). Toutefois, il est conseillé de procéder aux préparatifs suivants avant la livraison du bébé.

[1] Achevez tous vos travaux de bricolage bien avant la date prévue de livraison. En effet, les exigences du nouveau-né risquent de compromettre l'achèvement de ces projets pour les années, voire les décennies à venir.

[2] Adaptez et surveillez la température du domicile. Au cours des premiers mois, le bébé a besoin d'une assistance pour la régulation de sa température interne. La température idéale des pièces est de 20 à 22 °C.

[3] Faites soigneusement le ménage. Prenez l'habitude de ranger chaque objet après utilisation et de nettoyer la cuisine après les repas. La livraison du bébé risque de constituer un gros chamboulement. Mieux vaut avoir de bons automatismes…

[4] Constituez des stocks. Remplissez vos placards d'aliments secs et faites des réserves de repas surgelés, pour les fins de soirées. Après la livraison du bébé, circuler dans les allées d'un supermarché sera autrement plus compliqué.

[5] Cuisinez des repas à l'avance puis congelez-les : ainsi, vous aurez des stocks pour plusieurs semaines après la naissance du bébé.

***PAROLE D'EXPERT** : Au cours des quatre dernières semaines avant la livraison du bébé, ne laissez jamais la jauge du réservoir d'essence de votre voiture descendre en dessous de la moitié.*

La chambre d'enfant

La plupart des utilisateurs choisissent d'allouer au bébé un espace spécial, généralement appelé *chambre d'enfant*. Il est vivement conseillé de configurer la chambre avant la livraison du bébé. Une bonne organisation de l'espace est essentielle, car l'utilisateur devra sans doute trouver divers objets et accessoires en un clin d'œil.

Le lit à barreaux

C'est l'accessoire le plus important de la chambre. Son emplacement doit être sûr, confortable et accessible – dans cet ordre de priorité.

Sûr : le lit doit se trouver loin des fenêtres, des radiateurs, des climatiseurs, des accessoires suspendus, comme les cordons de rideaux, et d'objets lourds, comme les tableaux ou les lampes. Mieux vaut qu'il repose sur une moquette ou sur un tapis moelleux.

Confortable : le bébé se sentira sans doute plus en sécurité si le lit est installé dans un angle de la pièce. Par ailleurs, il ne doit pas se trouver dans la lumière directe du soleil.

Accessible : dans l'idéal, le lit doit être visible de la porte, pour permettre à l'utilisateur de voir si le bébé est en mode sommeil ou éveil.

Pour en savoir davantage sur la configuration de l'espace où dort le bébé, voir p. 108.

La table / commode à langer

La table ou commode à langer est une surface plane, à hauteur de hanche environ, permettant de procéder à la désinstallation et à la réinstallation des couches. Tout comme le lit, la table à langer doit être sûre, confortable et accessible. Elle sera configurée de manière que tous les accessoires de change soient à portée de main.

⚠ ***ATTENTION** : Ne laissez jamais un bébé sans surveillance sur la table à langer. Une chute peut entraîner des blessures ou des dysfonctionnements graves.*

Sûre : lorsqu'il sera en âge de marcher à quatre pattes, le bébé pourra s'agripper à la table à langer pour essayer de se redresser. Fixez solidement la table au mur, pour l'empêcher de basculer. La table à langer ne doit pas être placée à proximité de radiateurs, de cordons de rideaux ou d'autres objets dangereux.

Confortable : beaucoup d'utilisateurs installent un matelas en mousse sur la table à langer, pour la rendre plus confortable. Ce matelas plastifié peut être recouvert d'une housse en coton, pour un meilleur confort.

Accessible : choisissez un emplacement où les accessoires, les vêtements, la poubelle à couches et la corbeille à linge seront à portée de main.

Autres accessoires de la chambre à coucher

Chaise à bascule ou fixe : installez-la dans un angle de la pièce, pour ne pas empiéter sur l'espace alloué aux jeux de bébé. Sur une petite table, à proximité, posez un tissu doux pour faire faire le rot au bébé, une lampe avec un variateur, un livre, un radio-réveil pour surveiller la durée des repas et une couverture chaude.

Coffre à jouets : si votre espace est limité, achetez-en un que vous pourrez glisser sous le lit.

Humidificateur : si vous en utilisez un dans la chambre du bébé, placez-le à plus d'un mètre du lit. En effet, l'humidité peut favoriser la prolifération de bactéries sur la literie.

Thermostat : il est conseillé d'installer un thermostat dans la chambre, dans la mesure où dans un logement, la température peut varier d'une pièce à l'autre. Pour la chambre du bébé, la température idéale est de 20 °C.

Chauffage d'appoint : si vous utilisez un dispositif de ce type, placez-le loin du lit et de tout matériau inflammable. Ne le laissez pas fonctionner sans surveillance.

Écoute-bébé : cet appareil permet de surveiller les émissions sonores du bébé, où que l'utilisateur se trouve dans la maison. Dans la mesure du possible, installez l'émetteur, qui reste généralement allumé 24 h / 24, près d'une prise électrique et évitez l'utilisation de rallonges.

Veilleuse : installez une petite veilleuse près du lit ou en dessous, hors du champ de vision direct du bébé.

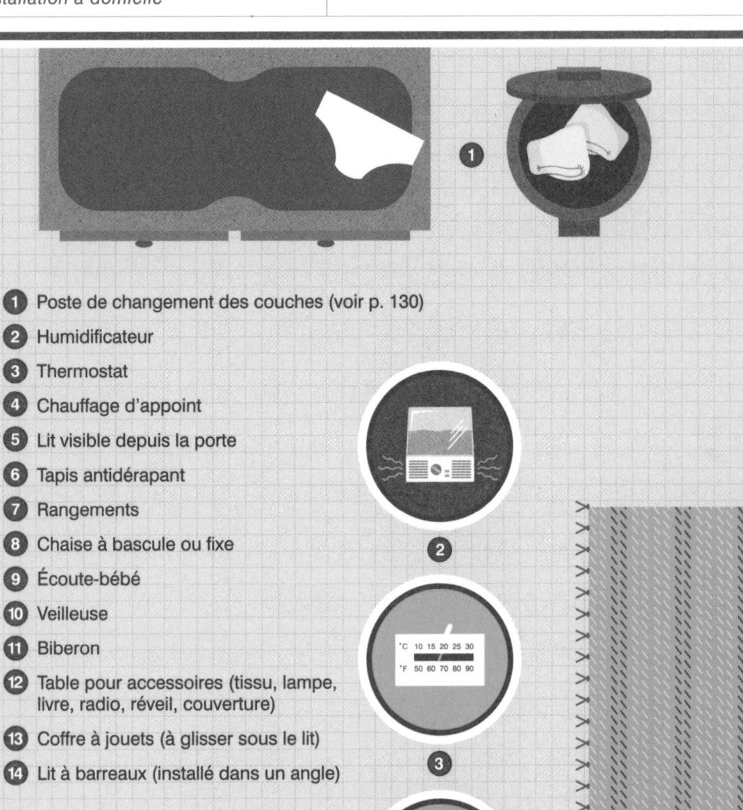

1. Poste de changement des couches (voir p. 130)
2. Humidificateur
3. Thermostat
4. Chauffage d'appoint
5. Lit visible depuis la porte
6. Tapis antidérapant
7. Rangements
8. Chaise à bascule ou fixe
9. Écoute-bébé
10. Veilleuse
11. Biberon
12. Table pour accessoires (tissu, lampe, livre, radio, réveil, couverture)
13. Coffre à jouets (à glisser sous le lit)
14. Lit à barreaux (installé dans un angle)

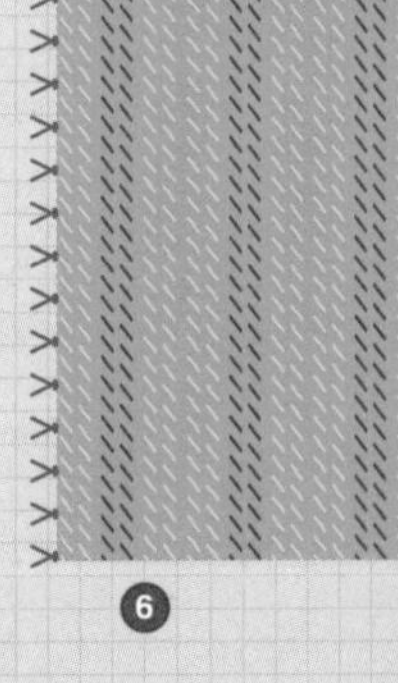

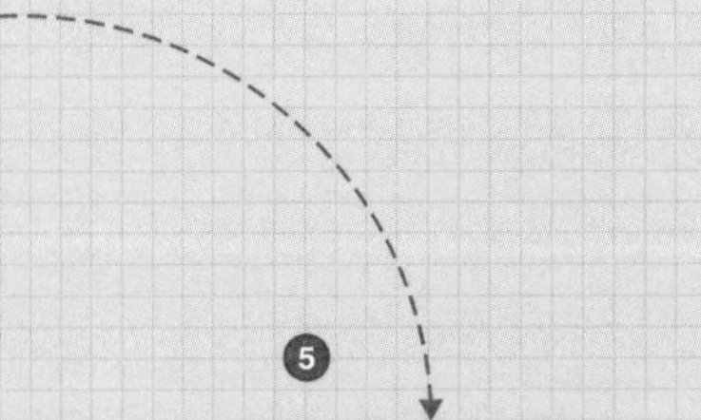

CONFIGURATION DE LA CHAMBRE D'ENFANT **Cet espace doit**
pour éviter à l'utilisateur tout sentiment de frustration et de débordement.

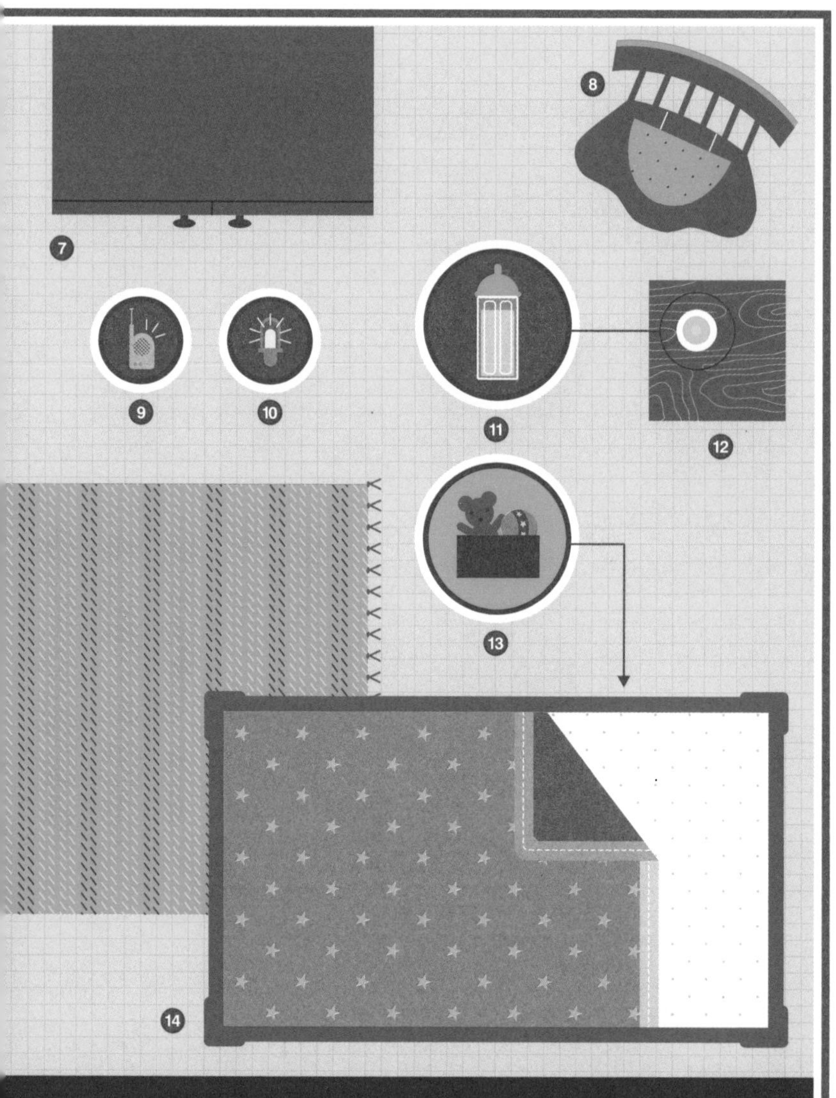

pérativement être initialisé et organisé avant la livraison du bébé,

Les accessoires indispensables

Pour la toilette, le sommeil ou l'habillement, tous les modèles de bébé exigent un nombre important d'accessoires. Vous trouverez ci-dessous les principaux équipements nécessaires au cours du premier mois. Il est conseillé d'en acheter la majorité avant la livraison de votre modèle.

ACCESSOIRES POUR LE SOMMEIL

- 2 paires de draps pour le couffin ou le lit à barreaux
- 4 à 6 couvertures
- Tour de lit

ACCESSOIRES POUR LE CHANGE

- Lingettes
- Vaseline
- Crème pour le siège
- Lotion
- Disques de coton
- 36 à 60 couches en tissu avec six épingles à nourrice et six culottes en plastique

OU

- 1 ou 2 paquets de couches jetables premier âge

ACCESSOIRES POUR L'ALIMENTATION

- 6 à 12 langes en tissu pour faire faire le rot
- 2 soutiens-gorge d'allaitement
- 4 coussinets d'allaitement
- Crème à la lanoline
- Tire-lait avec biberons et sachets de stockage

OU

- Stock de lait en poudre premier âge pour une semaine

- 4 à 6 biberons de 125 ml et tétines premier âge

ACCESSOIRES VESTIMENTAIRES

- 5 à 7 brassières
- 3 à 5 grenouillères
- 3 à 5 pyjamas en tissu ininflammable
- 3 à 5 paires de chaussettes
- Moufles pour empêcher le bébé de se griffer
- 2 ou 3 bonnets
- Combinaison en laine polaire, pull et manteau (selon le temps)

ACCESSOIRES POUR LA TOILETTE ET LE BAIN

- Petite baignoire en plastique
- 2 ou 3 serviettes à capuche
- 2 ou 3 gants de toilette
- Savon pour bébé
- Shampooing pour bébé
- Kit de toilette avec coupe-ongles
- Mouche-bébé

Transport : matériel et équipement

Le transport du bébé s'effectue à l'aide d'accessoires spéciaux, améliorant sa portabilité. Les conseils suivants vous aideront à choisir les équipements adaptés à votre mode de vie.

Le porte-bébé

Comme son nom l'indique, cet accessoire permet de porter le bébé contre soi. Tenez compte de son confort à lui, mais aussi du vôtre : si vous ne trouvez pas le porte-bébé ergonomique, vous ne vous en servirez pas.

Porte-bébé ventral (fig. A) : ce dispositif, composé de sangles passant sur l'épaule du porteur et d'un harnais, permet d'installer le bébé sur la poitrine de l'utilisateur. Jusqu'à ce qu'il puisse maintenir sa nuque, le bébé devra être transporté face au porteur. Ces accessoires peuvent accueillir des bébés jusqu'à environ six mois.

Porte-bébé latéral (fig. B) : ce périphérique en coton souple, en Nylon ou en Lycra, qui se passe sur une épaule, convient aussi bien aux nouveau-nés qu'aux modèles d'un certain âge, jusqu'à neuf à douze mois.

Porte-bébé dorsal (fig. C) : généralement composé d'une armature en métal ou en plastique et d'une surface en coton doux ou en Nylon. Comme le bébé doit pouvoir maintenir sa nuque et son dos pour y prendre place, cet accessoire ne convient pas aux enfants de moins de six, voire neuf mois. Choisissez un modèle ajustable à la taille de l'enfant, avec un pare-soleil et des poches.

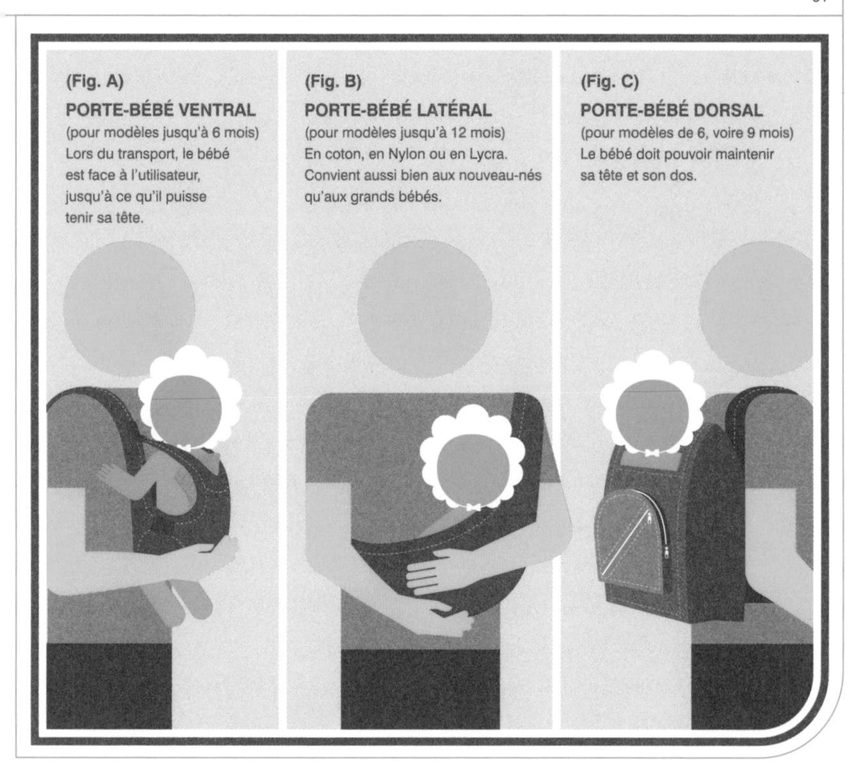

(Fig. A)
PORTE-BÉBÉ VENTRAL
(pour modèles jusqu'à 6 mois)
Lors du transport, le bébé est face à l'utilisateur, jusqu'à ce qu'il puisse tenir sa tête.
(Fig. B)
PORTE-BÉBÉ LATÉRAL
(pour modèles jusqu'à 12 mois)
En coton, en Nylon ou en Lycra. Convient aussi bien aux nouveau-nés qu'aux grands bébés.
(Fig. C)
PORTE-BÉBÉ DORSAL
(pour modèles de 6, voire 9 mois)
Le bébé doit pouvoir maintenir sa tête et son dos.

Les poussettes

Il existe une foule de modèles différents. Pour choisir la poussette idoine, tenez compte des paramètres suivants : longévité, polyvalence, taille, poids et prix. N'hésitez pas à aller faire un « tour d'essai » avant de l'acheter.

Lorsque votre choix se sera porté sur un modèle, vérifiez qu'il est bien équipé des accessoires suivants : harnais cinq points, poches de rangement, porte-biberon, pare-soleil, rembourrage de l'assise, housse de pluie, roues avant multipositions, dossier réglable, amortisseurs, roues en plastique solides et munies de systèmes de blocage.

Modèle

POUSSETTE CLASSIQUE

Nombre de roues : 4 ou 8

Durée d'utilisation : jusqu'à ce que le bébé pèse 18-20 kg

Poids de la poussette : moyen à lourd

Pliable : oui

Compatibilité : la plupart des modèles sont compatibles avec des sièges-coques

Polyvalence : 2 à 4 positions de dossier

Terrain : trottoirs, routes, la plupart des surfaces intérieures

Modèle

POUSSETTE DE JOGGING

Nombre de roues : 3

Durée d'utilisation : jusqu'à ce que le bébé pèse 16-20 kg

Poids de la poussette : moyen à lourd

Pliable : oui

Compatibilité de certains modèles avec des sièges-coques

Polyvalence : 1 ou 2 positions de dossier

Terrain : trottoirs, routes, surface intérieures, chemins

POUSSETTE **Il est recommandé de faire un tour d'essai avant de l'acheter.**

Modèle

POUSSETTE-CANNE

Nombre de roues : 4 ou 8

Durée d'utilisation : jusqu'à ce que le bébé pèse 13-20 kg

Poids de la poussette : léger

Pliable : oui

Compatibilité : non

Polyvalence : 1 à 3 positions de dossier

Terrain : surfaces intérieures et trottoirs lisses

Modèle

CHÂSSIS SIMPLE

Nombre de roues : 4

Durée d'utilisation : jusqu'à ce que le bébé pèse 9-11 kg

Poids de la poussette : léger

Pliable : oui

Compatibilité : conçue pour être utilisée avec des sièges-coques

Polyvalence : aucune

Terrain : surfaces intérieures et trottoirs lisses

Renseignez-vous sur les options : porte-biberon, pare-soleil, poches, etc.

En voiture

Pour transporter le bébé en voiture, un siège-auto adapté à la taille de l'enfant est nécessaire. La plupart des nouveau-nés sont compatibles avec deux types de sièges : le siège-coque et le siège-auto. Chaque type possède ses avantages. Quel que soit le modèle choisi, lisez attentivement le manuel et installez le siège conformément aux indications (voir p. 35).

Assurez-vous que le dispositif comporte bien les éléments suivants : harnais cinq points, cale-tête pour nouveau-né, ceinture ajustable, pare-soleil rétractable, revêtement confortable et (pour les sièges-auto uniquement) un système de fixation à la voiture. En cas de question, n'hésitez pas à appeler le fabricant.

Siège-coque (fig. A) : son principal avantage réside dans sa portabilité : on peut le sortir de la voiture en y laissant le bébé. Il s'adapte sur la plupart des poussettes classiques et des châssis (voir p. 33). En cas d'accident, il se referme comme un coquillage. Ses inconvénients : bébé compris, ces dispositifs pèsent autour de 13 kg. De plus, vous devrez vérifier qu'il est bien installé chaque fois que vous le remettrez dans la voiture. Enfin, il ne convient pas aux modèles de plus de 9 à 11 kg, ou de plus de 66 cm.

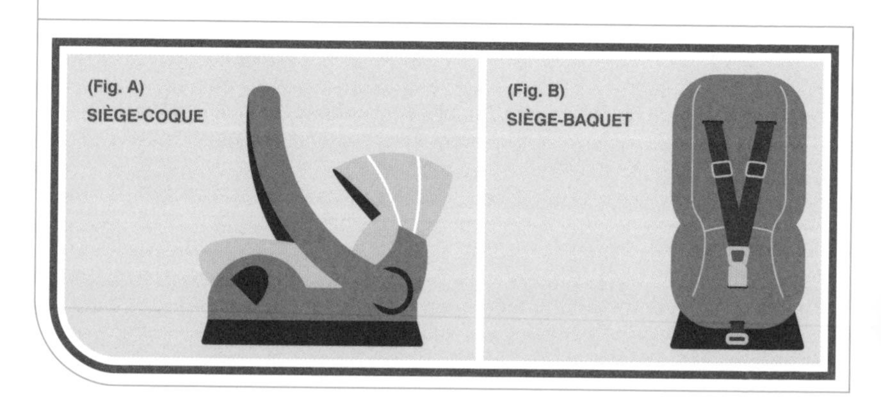
(Fig. A)
SIÈGE-COQUE

(Fig. B)
SIÈGE-BAQUET

Siège-baquet (fig. B) : plus grand que le siège-coque, le siège-baquet vous servira jusqu'à ce que l'enfant ait quatre ou cinq ans. Comme ces dispositifs ne sont pas conçus pour être sortis de la voiture, un autre système est nécessaire pour transporter l'enfant une fois arrivé à destination.

***PAROLE D'EXPERT** : N'achetez pas de siège-auto d'occasion. La réglementation en matière de sécurité change régulièrement, et les modèles anciens peuvent devenir obsolètes. De plus, si le siège a été impliqué dans un accident de voiture, il se peut que la sécurité de l'enfant ne soit plus garantie.*

Installation d'un siège-auto

Selon la législation en vigueur, les bébés doivent être installés dans un siège adapté pour les trajets en automobile. Pour les bébés de moins de 10 kg, le siège doit être installé dos à la route. Attention, le siège devra obligatoirement être installé à l'arrière (dos à la route), si la place passager avant est équipée d'un airbag.

[1] Conformez-vous toujours aux instructions du fabricant. Ce document indique généralement un numéro à appeler si vous avez du mal à installer le siège.

[2] Respectez les consignes de sécurité. Le siège ne doit pas se trouver devant un airbag ni face à un accoudoir repliable. Les dossiers des sièges avant ne doivent pas s'appuyer contre le siège-auto. En cas d'accident, cela empêcherait le siège enfant de se refermer.

[3] Installez le siège à deux : une personne appuiera sur le siège avec son genou, tandis que la deuxième serrera la ceinture de sécurité.

[4] Vérifiez que le siège-auto est bien installé : vous ne devez pas pouvoir le déplacer de plus de 2 cm vers l'avant, vers l'arrière ou sur les côtés. La ceinture

doit bien passer dans les encoches. Si nécessaire, installez un clip de fixation sur la ceinture. Le siège doit être incliné selon l'angle prévu (environ 45 degrés).

[5] Contrôlez les harnais de sécurité. Ils doivent être bien à plat (et non torsadés), suffisamment serrés et fermement fixés.

[6] Soutenez la tête du bébé, avec le cale-tête du siège ou avec une serviette posée sur le haut et sur les côtés de sa tête. Veillez à ce que ce dispositif ne glisse pas dans les lanières du harnais.

[7] Contrôlez régulièrement la stabilité et la sécurité du siège-auto.

Choix d'un pédiatre

Tous les modèles de bébés requièrent l'assistance d'un chargé de maintenance, appelé pédiatre. Voici quelques questions à lui poser, lors de votre première consultation.

- ***Quelle est votre philosophie en matière d'éducation ?*** Certains chargés de maintenance ont une philosophie bien spécifique, tandis que d'autres sont ouverts à différentes approches. Il est important de connaître la philosophie de votre prestataire de service, pour voir si elle se rapproche de la vôtre.

- ***Est-ce vous qui verrez le bébé à chaque rendez-vous ?*** Dans certains hôpitaux ou centres de PMI, plusieurs pédiatres assurent les consultations. L'idéal est de voir la même personne à chaque visite.

■ ***Avez-vous un remplaçant lorsque vous prenez des congés ?*** Certains pédiatres se font remplacer par un confrère durant leurs congés. Demandez si c'est toujours la même personne qui assure les remplacements.

■ ***Les consultations pour enfants en bonne santé et pour enfants malades ont-elles lieu aux mêmes horaires ?*** Y a-t-il deux salles d'attente différentes ? Si c'est le cas, cela évite tout contact avec des enfants contagieux.

■ ***Quelles sont les horaires de vos consultations ?*** C'est un point particulièrement important si les deux utilisateurs de l'enfant travaillent. Certains chargés de maintenance ont des horaires plus souples que d'autres.

■ ***Y a-t-il un créneau horaire particulier où vous répondez au téléphone, ou prenez-vous ces appels durant les consultations ?*** La plupart des chargés de maintenance pratiquent l'une ou l'autre de ces approches. Mieux vaut savoir comment fonctionne votre pédiatre, cela évitera des malentendus.

Pour choisir un pédiatre, renseignez-vous auprès de vos proches, de vos collègues ou de vos voisins. Demandez également s'il pratique un dépassement d'honoraires, et le cas échéant, voyez s'il sera pris en charge par votre mutuelle. N'hésitez pas à changer de pédiatre si la première consultation ne vous paraît pas concluante.

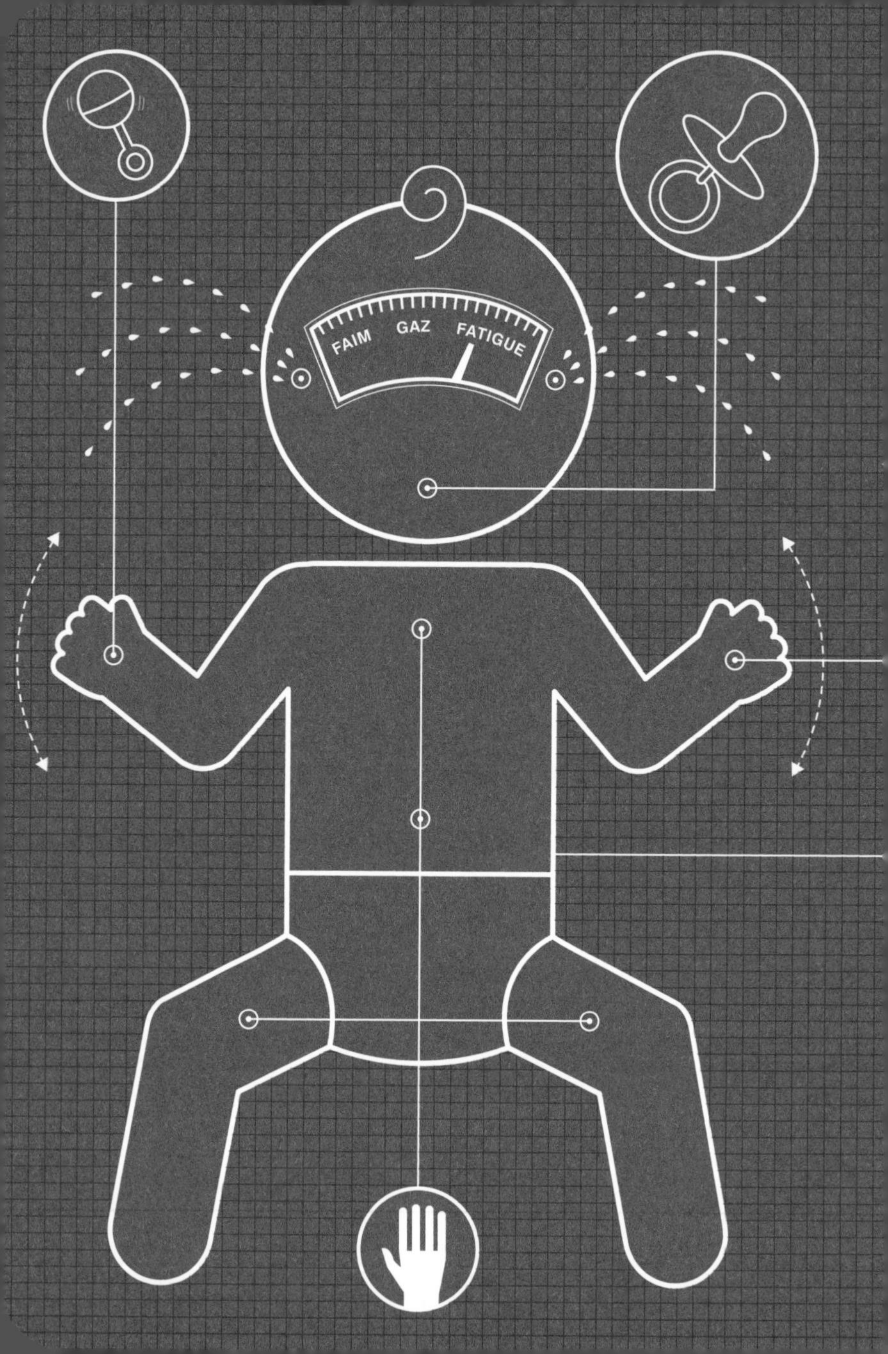
FAIM
GAZ
FATIGUE

[Chapitre 2]

Entretien Général

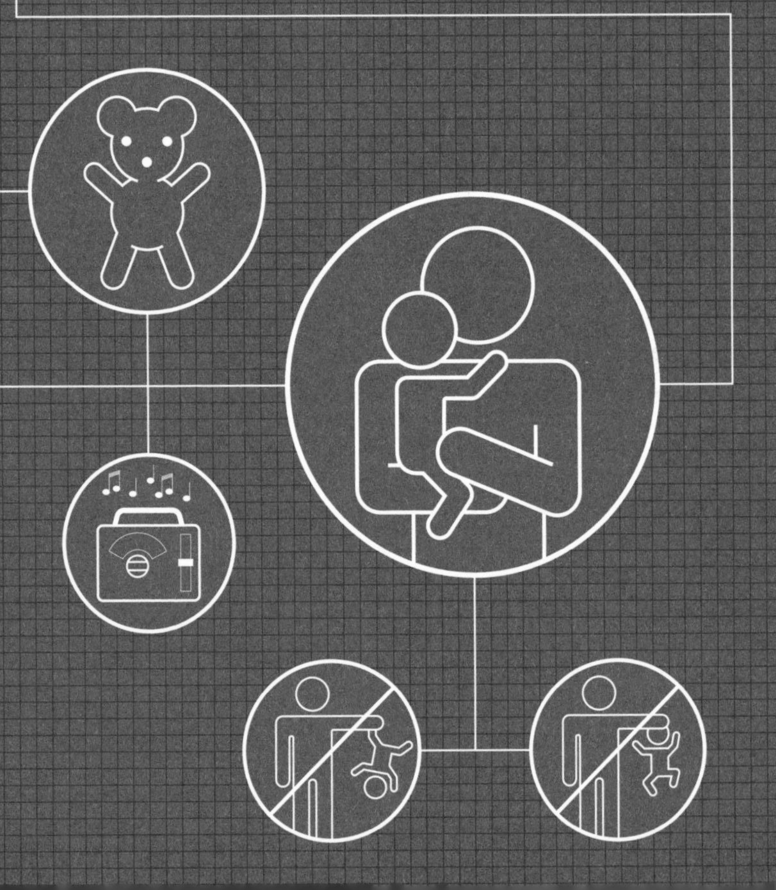

Comment établir un lien avec le nouveau-né

Il est recommandé à l'utilisateur d'établir un lien avec le bébé dès la livraison. Sinon, il faudra plus de temps pour que ce lien se développe. Chaque modèle de bébé étant différent, il n'y a pas de procédure-type. Toutefois, si vous n'avez pas le sentiment qu'un lien étroit s'est noué avec votre modèle au bout de trois ou quatre semaines, parlez-en avec son chargé de maintenance pédiatrique.

[1] Le plus rapidement possible, touchez le bébé, regardez-le et sentez-le. Si sa santé le permet, demandez à la sage-femme ou au médecin de poser le bébé sur votre poitrine juste après la naissance.

[2] Les mères souhaitant allaiter mettront le bébé au sein le plus rapidement possible (voir p. 74). L'allaitement libère des hormones provoquant des contractions de l'utérus, ce qui réduit les saignements post-partum, et il favorise la création d'un lien entre la mère et l'enfant. De plus, le lait maternel est extrêmement bénéfique pour la santé du bébé (voir p. 72).

[3] Gardez le bébé près de vous. Si sa santé le permet, gardez-le dans votre chambre. Parlez-lui et chantez-lui des chansons. Il reconnaîtra peut-être votre voix.

⚠ ***ATTENTION*** *: Prenez votre temps. Certaines mères ont besoin de se remettre de l'accouchement avant de garder un contact permanent avec le nouveau-né. Certes, il est important pour le bébé et sa mère d'être ensemble – mais ce qui est encore plus important, c'est que la mère soit prête. Une sage-femme, des membres de la famille ou d'autres parents peuvent parfaitement s'occuper du bébé pendant que la maman récupère.*

Manipulation du nouveau-né

Lavez-vous systématiquement les mains avant de toucher le bébé. Les bactéries présentes sur notre épiderme risquent de provoquer des dysfonctionnements chez le nouveau-né. Si vous ne pouvez pas vous laver les mains avec de l'eau et du savon, nettoyez-vous avec une lingette.

Comment soulever le bébé

[1] Glissez une main sous sa nuque et sous sa tête, pour les soutenir (fig. A). Les premières semaines, le cou n'est pas encore totalement opérationnel. En attendant qu'il se renforce, manipulez le bébé précautionneusement, pour éviter que la tête ne parte en arrière.

[2] Passez votre deuxième main sous ses fesses et sous son dos (fig. B).

[3] Soulevez le bébé et placez-le contre vous (fig. C).

⚠ ***ATTENTION** : Lorsque vous allongez le bébé, soutenez sa tête, et assurez-vous que la surface sur laquelle vous le poserez maintiendra sa tête et son cou.*

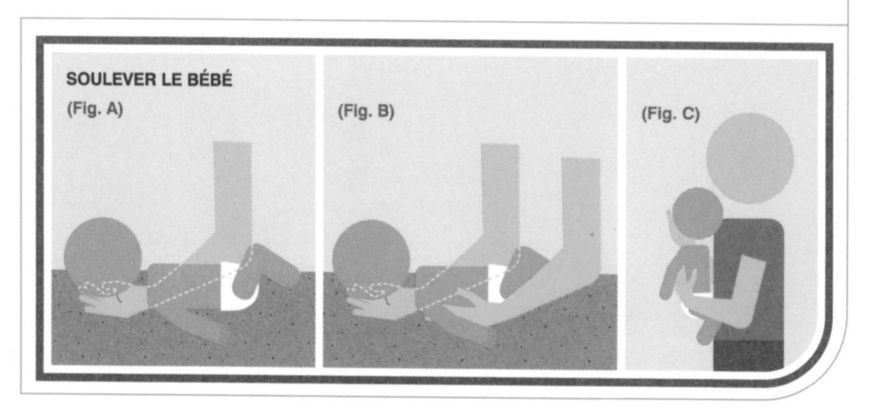

Bébé allongé dans vos bras

Lorsque le bébé est allongé dans vos bras, la tête sur votre gauche, il entend le battement de votre cœur. En captant ce signal, il est probable qu'il passe en mode sommeil (voir p. 116). Ce phénomène, parfaitement normal, enchante la plupart des utilisateurs (la prise peut également s'effectuer du côté droit).

[1] Glissez votre main droite sous la tête et la nuque du bébé. La main gauche, elle, soutient les fesses et le dos (fig. A).

[2] Installez le bébé de manière que sa tête et sa nuque reposent dans le creux de votre bras gauche. Désormais, votre main droite est libre d'accomplir d'autres tâches, tandis que la main gauche soutient le bébé (fig. B).

[3] Pour plus de sécurité, soutenez votre bras gauche avec votre bras droit.

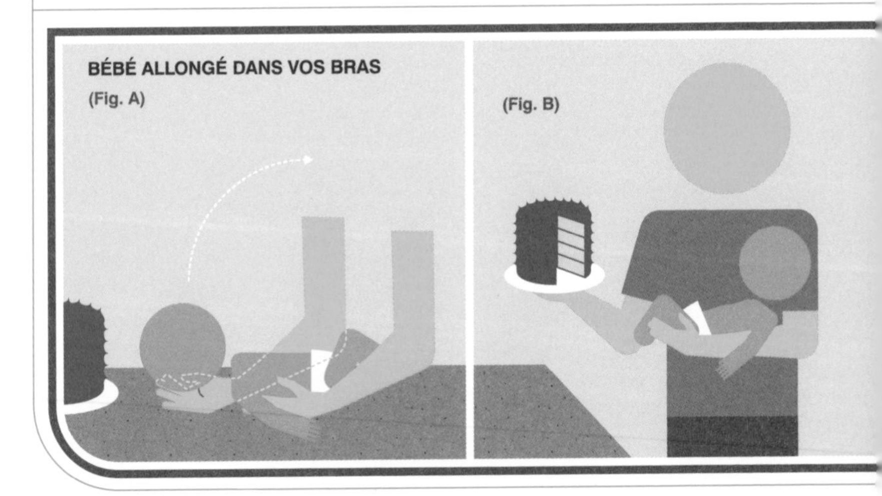

Bébé assis dans vos bras

Cette position convient particulièrement aux utilisateurs débutants. Toutefois, à mesure que le bébé grandit, il se peut qu'il n'apprécie plus cette position.

[1] Soulevez le bébé, de manière que sa tête s'appuie contre l'avant de votre épaule. Elle ne doit pas pendre au-dessus de l'épaule (fig. A).

[2] Soutenez les fesses du bébé avec le creux de votre bras. Ses jambes, elles, doivent pendre.

[3] Pour plus de sécurité, placez votre main libre contre le dos du bébé (fig. B). Si vous vous penchez en avant, soutenez sa tête et sa nuque.

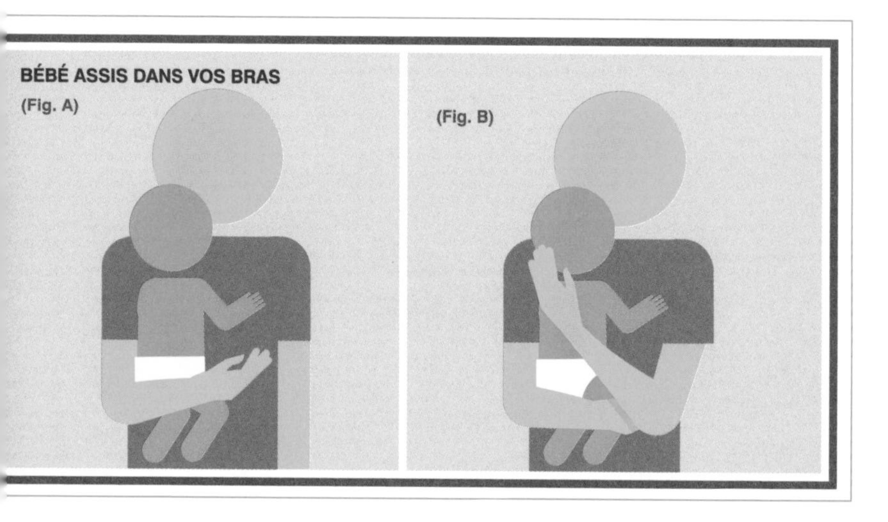

Passer le bébé à un autre utilisateur

Au cours des deux premiers mois, le système immunitaire du bébé est encore fragile. Durant cette période, il est conseillé de limiter le nombre de visiteurs. Avant de passer le bébé à un autre utilisateur, assurez-vous que ce dernier s'est bien lavé les mains.

Pour passer le bébé d'une personne à une autre, ou lorsque des amis ou de la famille viennent vous rendre visite, utilisez la technique suivante, pour un transfert en toute sécurité.

[1] Avec une main, soutenez la tête et la nuque du bébé. De l'autre, soutenez les fesses et le dos.

[2] Demandez à l'autre utilisateur de croiser ses bras.

[3] Posez la tête et la nuque du bébé dans le creux du bras de l'autre personne, et demandez-lui de soutenir la tête (fig. A).

[4] Déposez le corps du bébé dans les bras croisés (fig. B).

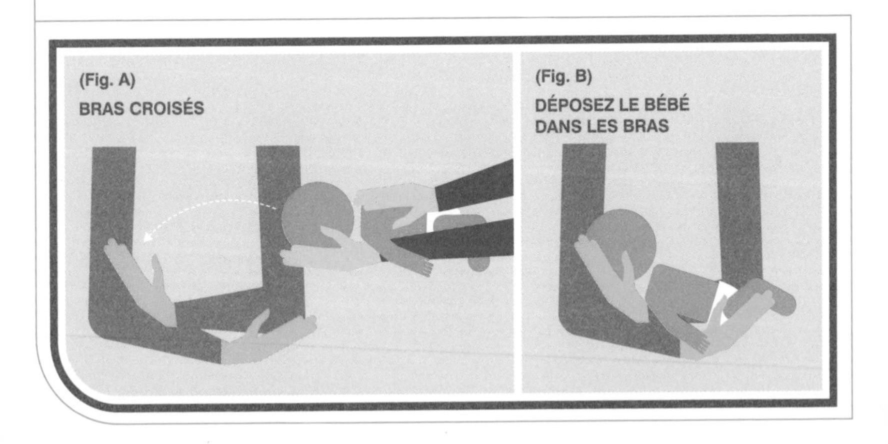

(Fig. A)
BRAS CROISÉS

(Fig. B)
DÉPOSEZ LE BÉBÉ DANS LES BRAS

Porter un grand bébé

Les bébés maîtrisant la marche à quatre pattes, c'est-à-dire de plus de six mois en moyenne, sont nettement plus lourds qu'à la livraison, ce qui rend obsolètes les méthodes de portage décrites précédemment.

De plus, lorsqu'il marche à quatre pattes, le bébé peut désormais maintenir sa nuque et son dos, ce qui permet le recours à de nouvelles positions.

Bébé sur votre hanche

[1] Glissez votre bras sous le dos du bébé, à la hauteur de ses aisselles (fig. A).

[2] Placez l'autre main sous ses fesses (fig. B).

[3] Soulevez le bébé à la hauteur de vos hanches, du même côté que le bras soutenant son dos (fig. C).

[4] Installez le bébé sur votre hanche. Beaucoup d'utilisateurs devront se déhancher pour accroître la surface d'assise. Le bébé doit se trouver sur votre côté, une jambe de chaque côté de votre hanche (fig. D).

[5] Posez votre bras sur les omoplates du bébé. S'il s'agrippe à vous, vous pouvez baisser votre bras, pour le placer sur le bas de son dos.

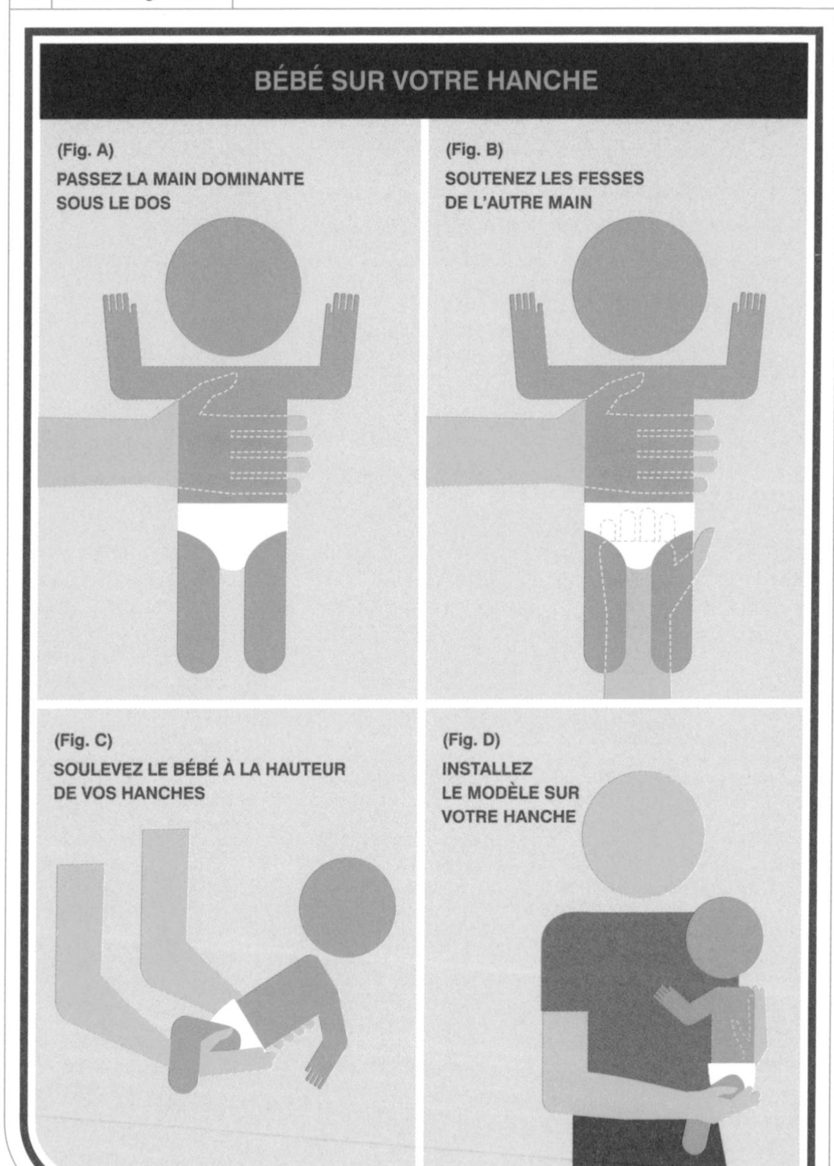
BÉBÉ SUR VOTRE HANCHE
(Fig. A)
PASSEZ LA MAIN DOMINANTE
SOUS LE DOS
(Fig. B)
SOUTENEZ LES FESSES
DE L'AUTRE MAIN
(Fig. C)
SOULEVEZ LE BÉBÉ À LA HAUTEUR
DE VOS HANCHES
(Fig. D)
INSTALLEZ
LE MODÈLE SUR
VOTRE HANCHE

La prise du sac à patates

Cette procédure s'utilise pour les transferts sur de courtes distances. Comme elle implique une station horizontale pour le bébé, la plupart des modèles ne l'apprécient guère durant une période prolongée.

[1] Placez-vous derrière le bébé.

[2] Glissez votre bras dominant sous lui, en passant entre ses jambes, jusqu'à l'avant, en pliant votre coude. Placez votre main sur sa poitrine (fig. A).

[3] Positionnez votre autre main sur son dos pour le stabiliser sur votre bras (fig. B).

[4] Soulevez le bébé et appuyez-le contre vous. Votre main non dominante continue à le maintenir pour le stabiliser (fig. C).

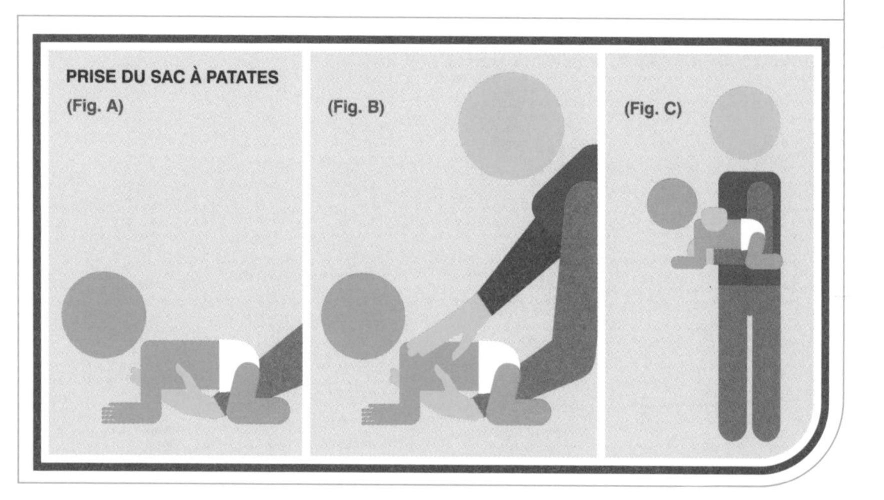

Pleurs : décrypter les signaux audio du bébé

Le système audio du bébé se compose de deux poumons, de cordes vocales et d'une bouche. Le bébé se sert de ces composants pour communiquer. Le langage n'étant pas préinstallé à la livraison, les premières tentatives de communication de votre modèle vous paraîtront peut-être totalement dépourvues de sens. C'est une erreur fréquente chez les utilisateurs débutants. Ces signaux audio, aussi appelés pleurs, recèlent souvent quantité d'informations précieuses.

Si le bébé pleure, c'est parce que ses couches sont mouillées ou sales, parce qu'il a faim, chaud, froid, besoin d'un câlin ou de réconfort, parce qu'il a des gaz ou parce qu'il est fatigué ou malade. Certains modèles pleurent aussi pour entendre le son de leur voix. Lorsque votre bébé émet des pleurs, l'intensité et la fréquence du signal peuvent vous donner des indices quant à sa signification. Différentes causes provoquent généralement différents types de pleurs. Une fois l'origine d'un pleur identifiée, l'utilisateur s'efforcera de mémoriser ce cri, afin de pouvoir ultérieurement décrypter un signal identique.

■ **Couche mouillée ou sale :** le système olfactif de l'utilisateur peut également l'aider à détecter des couches sales. Pour effectuer un contrôle manuel, insérez un doigt dans la couche pour voir si elle est humide. Si nécessaire, réinstallez la couche (voir p. 132) et voyez si les pleurs cessent.

■ **Faim :** le bébé a faim entre sept et dix fois par jour. S'il pleure, proposez-lui à manger. Dans certains cas, il lui faudra un peu de temps pour se calmer avant de manger. Si les pleurs cessent, la faim était probablement l'explication.

■ **Trop chaud ou trop froid :** la plupart des modèles pleurent plus facilement lorsqu'ils ont froid que lorsqu'ils ont chaud. Il n'existe aucun système d'alerte informant l'utilisateur d'une hausse excessive de la température interne du bébé. Vérifiez son habillement et adaptez-le éventuellement. Soyez extrêmement attentif à tout signal externe indiquant une hausse de la température. Regardez si le bébé est rouge ou moite. De manière générale, ne l'habillez pas trop chaudement.

■ **Fatigue :** si le bébé se frotte les yeux, s'il baille ou s'il semble somnolent tout en pleurant, il a peut-être besoin de passer en mode sommeil. Pour les instructions permettant d'activer ce mode, voir p. 116.

■ **Gaz :** si le bébé se tortille ou s'il lève les jambes, il est possible que son système digestif contienne un excès de gaz. Faites-lui faire un rot (p. 94) ou tenez-le dans une position favorisant l'expulsion des gaz (voir coliques, p. 201).

■ **Besoin de câlin :** si le bébé a le sentiment d'avoir été laissé seul trop longtemps, ou si une stimulation excessive l'a perturbé, il aura besoin d'être pris dans les bras et réconforté par l'un des utilisateurs principaux. Essayez d'insérer un périphérique à téter dans le port « bouche » (voir p. 55).

■ **Maladie :** commencez par exclure toutes les raisons citées ci-dessus. Si les pleurs se poursuivent sans discontinuer pendant plus de 30 minutes, consultez votre chargé de maintenance pédiatrique.

⚠ ***ATTENTION*** *: Il arrive que l'origine des pleurs soit difficile à diagnostiquer. Efforcez-vous de comprendre ce qui se passe et de conserver votre calme.*

Comment apaiser le bébé

Différentes techniques permettent d'apaiser le bébé :

[1] Emmaillotez le bébé, selon les instructions ci-dessous. La chaleur et le sentiment de sécurité ainsi procurés pourront le réconforter.

[2] Balancez le bébé. Installez-vous avec lui dans un fauteuil à bascule, mettez-le dans un porte-bébé ou prenez-le dans vos bras en vous déplaçant d'avant en arrière. Le mouvement régulier et doux l'apaisera peut-être.

[3] Bercez-le doucement, en vous tournant d'un côté puis de l'autre.

⚠ ***ATTENTION** : Ne secouez jamais un bébé. Le bercement doit être doux et régulier. Secouer un bébé peut provoquer des pannes et des dysfonctionnements.*

[4] Chantez-lui une chanson. Ses capteurs audio sont extrêmement sensibles à la musique et au son de votre voix.

[5] Modifiez son environnement. Un changement de lumière ou de température peut faire cesser les pleurs. Sortez faire un tour en poussette ou en porte-bébé.

[6] Installez un périphérique à téter (voir p. 55).

Comment emmailloter le bébé

L'emmaillotement consiste à envelopper étroitement le bébé d'une couverture. Votre modèle s'apaisera peut-être grâce à cette sensation de chaleur et de sécurité ou bien sera au contraire énervé par cette entrave soudaine à sa mobilité. Essayez les techniques présentées ici et attendez sa réaction.

⚠ ***ATTENTION** : L'emmaillotement constituant un confinement susceptible d'entraver le développement moteur du bébé, il est déconseillé d'emmailloter tout le corps au-delà de l'âge de 60 jours. Mieux vaut alors utiliser une variante laissant les bras libres, en adaptant par exemple l'emmaillotement façon rouleau de printemps* *(voir p. 54)**.*

Emmaillotement express

Cette technique se révèle efficace lorsque l'utilisateur ne dispose que d'un temps limité. Prenez une couverture suffisamment grande pour couvrir tout le corps du bébé.

[1] Posez une couverture carrée sur une surface plane.

[2] Rabattez un coin de la couverture, en le repliant sur une longueur équivalente à la longueur de votre main.

[3] Posez le bébé sur la couverture en diagonale, de manière que le bord de la partie repliée se trouve sous le haut de sa nuque (fig. A).

[4] Passez un côté de la couverture sur le corps du bébé et glissez-en l'extrémité sous le corps du bébé (fig. B).

[5] Passez l'autre côté de la couverture sur le corps du bébé et glissez-en l'extrémité sous son corps (fig. C).

[6] Soulevez le bébé et repliez le bas de la couverture sous ses jambes, derrière son dos (fig. D).

EMMAILLOTEMENT EXPRESS

Fig. A

Fig. B

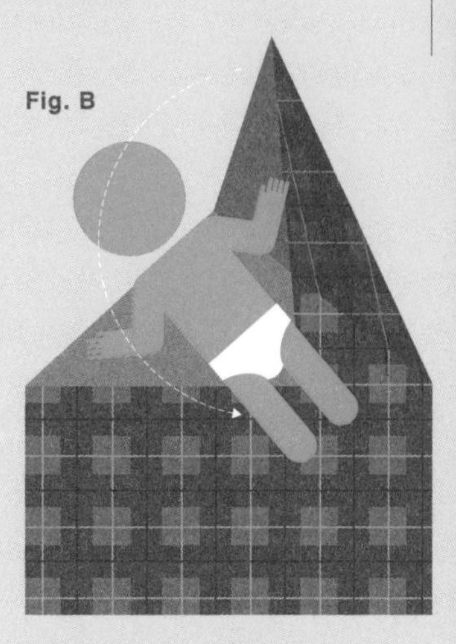

Fig. C

Fig. D

EMMAILLOTEMENT **Si le bercement, les chansons, ou l'installation d'un**

EMMAILLOTEMENT FAÇON ROULEAU DE PRINTEMPS

Fig. A

Fig. B

Fig. C

ɔériphérique à téter ne fonctionnent pas, essayez l'une de ces techniques d'emmaillotement.

Emmaillotement façon rouleau de printemps

Cette technique est une variante plus sûre (et plus durable) de l'emmaillotement express. Emballé de la sorte, le bébé présentera une ressemblance frappante avec un mets très apprécié de la cuisine du Sud-Est asiatique.

[1] Posez une couverture carrée sur une surface plane. La couverture doit être suffisamment grande pour couvrir tout le corps du bébé.

[2] Rabattez un coin de la couverture, en le repliant sur une longueur équivalente à la longueur de votre main.

[3] Posez le bébé sur la couverture en diagonale, de manière que le bord de la partie repliée se trouve sous le haut de sa nuque (fig. A).

[4] Glissez les mains du bébé sous le repli de la couverture. Elles doivent se trouver à la hauteur de ses épaules ou de son visage (si votre bébé est particulièrement tonique, vous pouvez passer la couverture sous ses aisselles, pour lui permettre de bouger les mains).

[5] Passez le côté droit de la couverture sur le corps du bébé et glissez-en l'extrémité sous le corps du bébé (fig. B).

[6] Repliez le bas de la couverture vers le haut (vers la tête du bébé), de manière à couvrir ses pieds et ses jambes, en posant la couverture sur le premier rabat. Glisssez la pointe de la couverture sous le bord supérieur (fig. C).

[7] Passez l'autre côté de la couverture sur le corps du bébé et rabattez-en l'extrémité sous le corps du bébé (fig. C).

Choix et installation d'un périphérique à téter

Pour apaiser le bébé, beaucoup d'utilisateurs installent un périphérique à sucer, compatible avec la plupart des modèles. Parmi les dispositifs naturels, on compte les petits doigts des parents ainsi que les poings et les pouces du bébé. Les périphériques artificiels, en latex ou en silicone, ont une forme comparable à une tétine de biberon. Les deux variantes sont dépourvues d'effets secondaires médicaux ou psychologiques à long terme.

***PAROLE D'EXPERT** : Guettez attentivement tout signe indiquant une perturbation de la technique de tétée : les tétines artificielles peuvent provoquer des interférences, qui perturbent la technique de tétée du sein maternel. Au cours des deux premiers mois, mieux vaut éviter l'installation de ces périphériques. Si cette perturbation survient plus tard, limitez l'usage de la tétine ou supprimez-la.*

Périphérique à téter naturel

[1] Coupez l'ongle de votre petit doigt ou limez-le, pour qu'il n'y ait aucune aspérité. Le bébé préférera cette extension aux autres doigts de la main.

[2] Lavez-vous soigneusement les mains.

[3] Tournez la paume de votre main vers le haut puis tendez le petit doigt vers le bébé, en repliant les autres doigts.

[4] Placez l'extrémité de votre petit doigt en contact avec le palais du bébé ; ce doigt s'adapte naturellement à la courbure du palais.

[5] Laissez le bébé téter en veillant à ce que le doigt reste bien contre son palais.

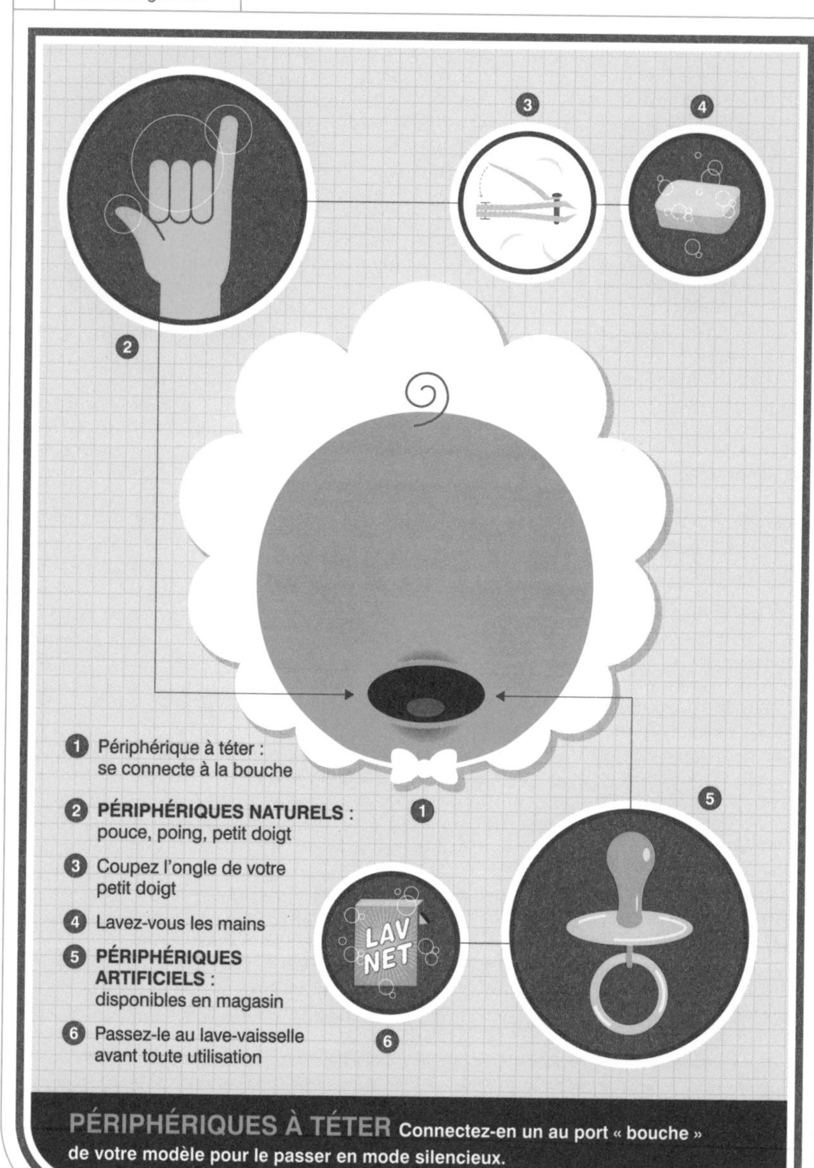

1. Périphérique à téter : se connecte à la bouche
2. **PÉRIPHÉRIQUES NATURELS** : pouce, poing, petit doigt
3. Coupez l'ongle de votre petit doigt
4. Lavez-vous les mains
5. **PÉRIPHÉRIQUES ARTIFICIELS** : disponibles en magasin
6. Passez-le au lave-vaisselle avant toute utilisation

PÉRIPHÉRIQUES À TÉTER **Connectez-en un au port « bouche » de votre modèle pour le passer en mode silencieux.**

PAROLE D'EXPERT *: Lorsque le bébé a quelques semaines, encouragez-le à sucer ses doigts ou son pouce pour s'apaiser. Il pourra alors se réconforter tout seul, n'importe quand.*

Périphérique à téter artificiel

[1] Achetez un dispositif (« tétine ») chez un revendeur agréé. Essayez différentes formes et différentes tailles, pour déterminer le type compatible avec votre modèle.

[2] Stérilisez le périphérique. Passez-le au lave-vaisselle ou plongez-le dans une casserole d'eau bouillante pendant cinq minutes. Inspectez son extrémité pour vérifier qu'elle ne s'est pas remplie d'eau. Si c'est le cas, comprimez-la pour en faire sortir l'eau ou attendez qu'elle se soit évaporée avant de la donner au bébé.

[3] Insérez l'extrémité du périphérique dans le port « bouche » du bébé.

ATTENTION *: N'attachez jamais la tétine au bébé avec une ficelle ou un ruban. Il risquerait de s'étrangler.*

[4] Achetez plusieurs tétines. Une fois que vous aurez trouvé le modèle compatible avec votre bébé, placez-en une dans son lit, une autre dans votre sac à langer, une dans la voiture, une dans votre poche, plus d'autres à différents endroits de la maison.

[5] Remplacez les tétines usagées – surtout lorsque les extrémités sont endommagées.

ATTENTION *: Les tétines permettent de calmer un bébé entre les repas, mais elles ne doivent en aucun cas servir de substitut à un biberon. Privé d'approvisionnement adéquat en énergie, le bébé présentera des dysfonctionnements.*

Comment masser le bébé

Beaucoup de chargés de maintenance pédiatrique considèrent que les massages renforcent le système immunitaire du bébé, qu'ils améliorent son développement musculaire et qu'ils favorisent sa croissance. De plus, les massages ont un effet apaisant sur la plupart des modèles, et ils permettent au bébé et à son utilisateur de nouer des liens plus étroits.

Les seuls outils nécessaires sont les mains de l'utilisateur, qui exerce des mouvements doux. Allongez le bébé sur le dos, sur une surface ferme, plane et confortable. Chauffez bien la pièce et déshabillez le bébé. Si vous utilisez de l'huile, choisissez-en une variété pressée à froid, par exemple de l'huile de carthame ou d'amande douce.

[1] Massez les jambes et les pieds du bébé. Commencez par les cuisses, pour descendre jusqu'aux orteils. Massez une jambe à la fois.

[2] Massez l'abdomen du bébé. Passez la main bien à plat, les doigts tendus, sur l'abdomen, en faisant des mouvements circulaires.

⚠ ***ATTENTION*** *: Les massages sur l'abdomen peuvent provoquer l'émission de gaz ou d'urine. Avant de commencer, placez une serviette éponge sous le bébé.*

[3] Massez la poitrine du bébé. La main à plat, les doigts tendus, passez la main sur sa poitrine. Commencez au milieu et déplacez-vous vers les bras.

[4] Passez aux bras et aux mains. Commencez par les épaules, puis progressez vers les doigts. Massez un bras après l'autre.

[5] Massez le visage. Exercez des petits mouvements circulaires avec vos pouces, puis faites de légers mouvements du bout des doigts.

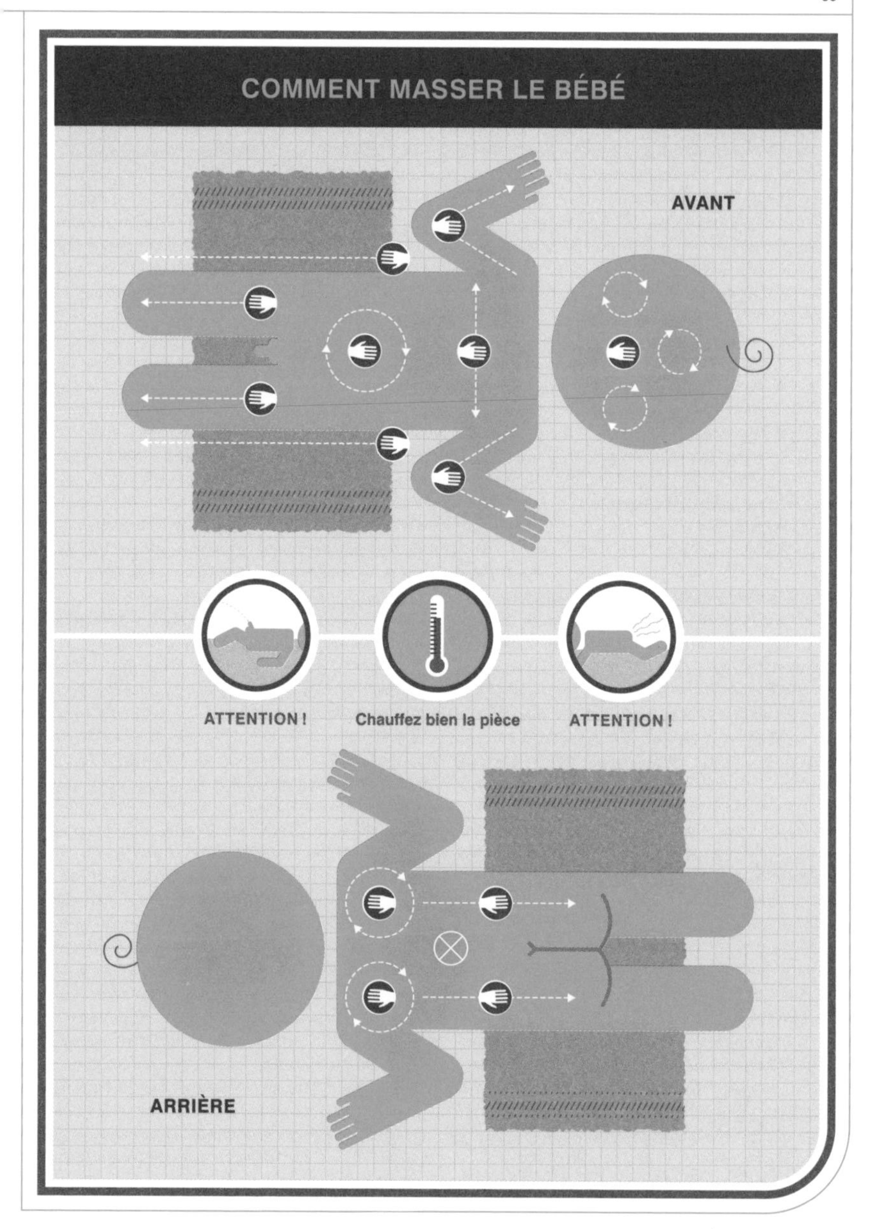
COMMENT MASSER LE BÉBÉ
AVANT
ATTENTION !
Chauffez bien la pièce
ATTENTION !
ARRIÈRE

[6] Retournez le bébé pour l'allonger sur le ventre. Massez son dos, en commençant par les épaules, puis descendez le long du dos, des deux côtés. Ne touchez pas à la colonne vertébrale.

[7] Terminez le massage. Remettez le bébé sur le dos et passez doucement vos doigts sur tout son corps, en montant et en descendant, pour lui indiquer que le massage est terminé. Même si vous n'avez pas le temps d'effectuer toutes les étapes du massage, ne sautez pas cette dernière.

***PAROLE D'EXPERT** : Des professeurs diplômés donnent des cours de massage. Renseignez-vous auprès de votre hôpital ou de votre kiné.*

Jeux avec le bébé

Les jeux sont extrêmement bénéfiques pour tous les modèles de bébé. Source de plaisir et d'enseignements, ils peuvent aussi contribuer à activer son mode sommeil. Trouvez le temps de jouer souvent avec votre bébé.

Jeux musicaux

Il est fortement recommandé d'agrémenter vos jeux de musique, pour enseigner au bébé les rudiments du rythme, du mouvement et de la vocalisation, tout en favorisant son développement intellectuel et créatif.

[1] Choisissez un morceau adapté, comme une berceuse ou un morceau mélodique composé seulement d'un ou deux types de sons. Veillez également à choisir un rythme simple.

[2] Passez la musique.

[3] Dansez avec le bébé, en le portant d'une manière adaptée à la force de sa nuque et de son dos. Faites bouger tout votre corps, pour bien faire sentir le rythme au bébé.

[4] Chantez. Si vous ne connaissez pas les paroles, improvisez en langage bébé. Il est possible que le bébé entame un duo avec vous.

Jeux de renforcement

Certains jeux présentent l'avantage de renforcer différents muscles, ce qui contribuera au développement du bébé, tout en améliorant sa coordination des mouvements et la maîtrise de ses gestes.

⚠ ***ATTENTION*** : *L'utilisateur n'a pas pour vocation de devenir un « entraîneur personnel » du bébé. Il ne s'agit pas de pratiquer de la musculation, mais simplement de faire des mouvements qui renforceront ses muscles et ses compétences.*

Exercices du ventre : couchez le bébé par terre, à plat ventre. Allongez-vous à côté de lui et parlez-lui. Les mouvements qu'il fera renforceront son cou, son dos et ses abdominaux. Il est possible qu'il redresse la tête ou le corps pour vous regarder, qu'il tourne la tête vers vous ou qu'il se roule sur le ventre.

Bébé s'assied : la plupart des modèles aiment beaucoup cet exercice qui renforce leurs muscles abdominaux et leur cou, ce qui leur permettra de s'asseoir tout seuls plus facilement. Asseyez-vous et allongez le bébé sur le dos, sur vos genoux. Sa tête doit reposer sur vos genoux. Gardez ses jambes bien droites sur vous, puis mettez une main sous chaque aisselle et redressez-le en position assise. Pour les grands bébés, tenez leurs mains et leurs avant-bras, et tirez-les vers vous. Répétez l'opération.

⚠ ***ATTENTION** : Ne soulevez jamais un enfant par les pieds ou par les mains avant l'âge d'un an au moins. L'opération peut entraîner un dysfonctionnement des articulations.*

Exercices pour se relever : beaucoup de modèles apprécient ce mouvement tout simple, qui leur permet de regarder leur utilisateur tout en jouant avec leurs jambes. Il renforce de surcroît les muscles des jambes et du dos. Asseyez-vous et installez le bébé sur vos cuisses, face à vous. S'il est encore petit, passez vos deux mains sous ses aisselles et redressez-le en station debout, puis remettez-le en position assise. Pour les bébés plus âgés, tenez-les par la taille puis rasseyez-les.

Choix des jouets

Lorsque le bébé a un mois, ces accessoires ne sont pas forcément indispensables. Toutefois, à mesure que les fonctionnalités du bébé évoluent, les jouets sont essentiels pour le stimuler intellectuellement. Sélectionnez des jouets adaptés à son âge, en vous reportant aux indications du fabricant. Le bébé n'ayant qu'une conscience limitée des dangers, évitez les objets comportant des angles vifs ou des petites pièces susceptibles de se détacher. Choisissez un jouet qui le stimulera. Les plus intéressants font intervenir deux sens, voire davantage (vue, ouïe, toucher, goût et odorat). Choisissez par exemple un livre aux pages toutes douces ou un jouet parfumé.

Jouets pour le 1er mois

Mobile noir et blanc : installez un mobile aux motifs noirs et blancs au-dessus du lit, hors de la portée du bébé (à 30 à 40 cm au-dessus du matelas). Au cours des premières semaines suivant sa mise en service, le bébé réagit plus volontiers aux motifs en noir et blanc qu'aux couleurs.

Accessoires audio : initiez le bébé à la musique, avec une radio, un magnétophone, un lecteur de CD ou une boîte à musique. Des études tendent à montrer que les bébés apprécient les musiques aiguës, calmes et mélodieuses, comme des berceuses.

Animaux en peluche : les bébés ont tendance à confondre ces jouets avec des animaux vivants (surtout si la peluche a de grands yeux). Il s'agit d'un bogue sans gravité, qui disparaît généralement entre sept et douze ans.

Jouets de 2 à 6 mois

⚠ ***ATTENTION** : À cet âge, tous les modèles commencent à insérer des objets dans leur port « bouche ». Vérifiez que les jouets sont solides, bien cousus, et qu'ils ne comportent pas de petites pièces susceptibles de se détacher. Contrôlez-les régulièrement pour vérifier qu'ils ne présentent aucun danger.*

Tapis d'activité : ces accessoires qui se posent sur le sol possèdent des couleurs et des formes variées. On peut y associer des jouets suspendus qui apprendront au bébé à saisir les objets qui l'intéressent.

Livres : choisissez des modèles que le bébé peut explorer en faisant intervenir tous ses sens. Les livres cartonnés, en tissu et en mousse éveilleront son intérêt pour la lecture. Laissez-le jouer avec ces objets comme il l'entend, en les regardant, en les touchant ou, pourquoi pas, en les mordillant.

Instruments de musique : beaucoup de bébés aiment faire et écouter de la musique. Des tambourins ou des clochettes (sans angles vifs) contribuent à stimuler leurs capteurs audio.

Mobiles : à six mois, le bébé perçoit les couleurs et distingue des formes complexes. Pour l'aider à améliorer sa vision, installez-lui un mobile suspendu aux formes originales et aux couleurs vives. Remplacez le mobile noir et blanc au-dessus de son lit par un modèle multicolore, que vous mettrez au même endroit ou au-dessus d'un emplacement où il peut s'allonger.

Hochets, balles et jouets qui font « pouët pouët » : à mesure que le bébé perfectionne son aptitude à saisir et à manipuler des objets, donnez-lui des petits jouets qu'il pourra tenir. Les jouets sonores lui permettront de découvrir l'existence d'un lien de cause à effet entre ses gestes et les bruits.

Miroir en plastique incassable : installez-en un à côté de la table à langer ou fixez-en un solidement sur le côté de son berceau, pour lui fournir quelques minutes quotidiennes de divertissement et de prise de conscience de soi.

PAROLE D'EXPERT : Parmi les meilleurs jouets pour bébé, on trouve aussi des objets courants (et bon marché), comme des cuillères. Pour le bébé, ces objets, qui peuvent vous paraître furieusement dépourvus d'intérêt, sont totalement nouveaux et passionnants. Choisissez-les suffisamment grands pour qu'il ne puisse pas les insérer dans sa bouche, sans angles vifs ni petites pièces pouvant se détacher et ne présentant aucun risque d'étranglement.

Jouets de 7 à 12 mois

Balles : choisissez-les suffisamment grandes pour qu'il ne puisse pas les mettre dans sa bouche (et assez dures pour qu'il lui soit impossible d'en détacher un morceau en la mordant). Vers douze mois, le bébé commencera peut-être à faire rouler la balle vers vous, voire même à vous la lancer.

Jouets de bain : les objets en plastique qui flottent, qui contiennent de l'eau, qui éclabousssent ou adhèrent aux parois de la baignoire feront son bonheur.

Cubes : en bois ou en plastique, ils aideront le bébé à apprendre à positionner et à empiler des objets. Beaucoup de modèles préfèrent faire tomber les tours de cubes plutôt que de les construire : il ne s'agit aucunement d'un défaut de fabrication.

Marionnettes et animaux en peluche : improvisez des spectacles ou faites danser et chanter ses compagnons inanimés.

Jouets animés : ces objets qui bougent lorsque l'on tire sur leur cordelette permettent au bébé de découvrir l'existence d'un lien de cause à effet. Ne le laissez jamais sans surveillance avec un jouet comportant une cordelette. Il pourrait s'étrangler avec la cordelette ou avaler la perle à son extrémité.

Trotteurs : lorsque l'enfant arrive à se redresser en se tenant aux meubles et qu'il arrive à exécuter quelques pas avec l'aide d'un adulte, beaucoup d'utilisateurs font l'acquisition d'un trotte-bébé, un accessoire à roulettes offrant un support à l'enfant. Il peut s'agir d'un chariot, d'un train ou de tout objet auquel le petit marcheur peut se tenir ou qu'il utilise pour se propulser dans la pièce. Les youpalas, dans lesquels on assied l'enfant, ne sont pas recommandés.

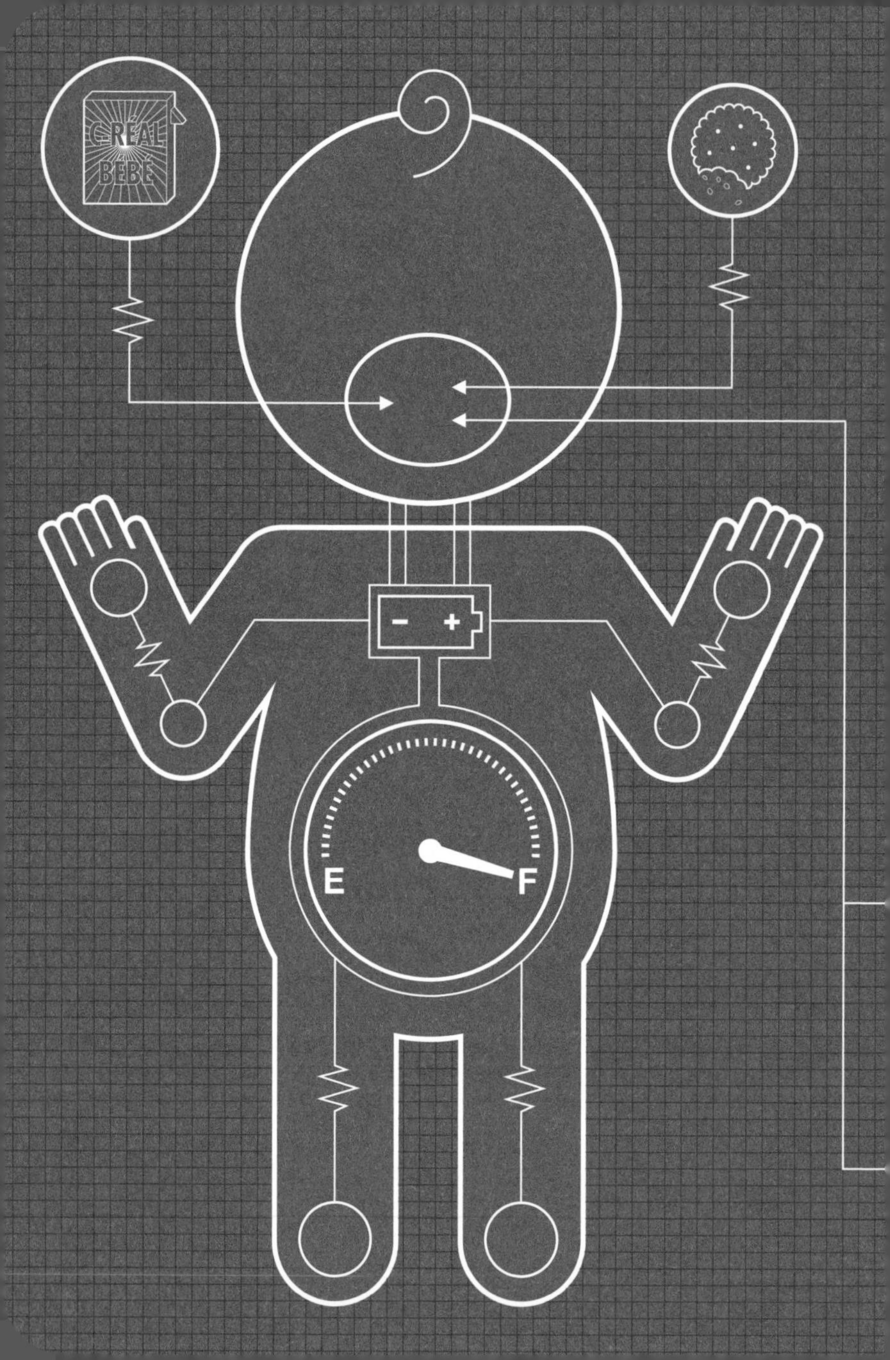
C-RÉAL
BÉBÉ
-
+
E
F

[Chapitre 3]

Alimentation : comprendre l’approvisionnement énergétique

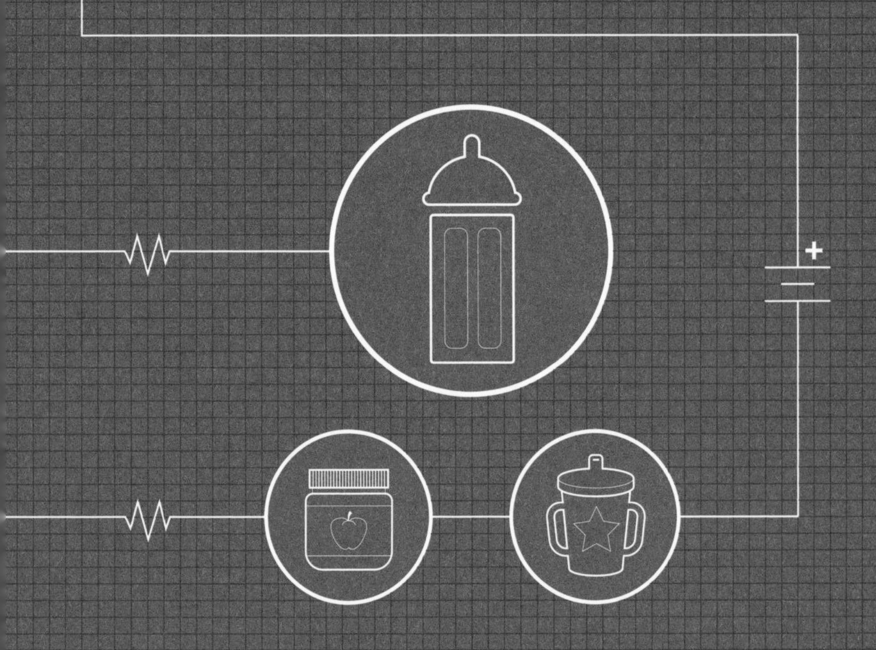

Programmation de l'alimentation du bébé

Il n'existe pas de règles précises concernant la quantité de nourriture qu'un bébé doit absorber. Chaque modèle est unique, avec des besoins spécifiques. Toutefois, des études extrêmement sérieuses indiquent que la plupart des nouveau-nés boivent de 60 à 90 ml de lait par repas, toutes les trois ou quatre heures. Ces quantités fluctuent en fonction de l'état de santé du bébé, de son activité, de sa croissance et même des conditions atmosphériques. À mesure que le bébé grandit, ses repas sont de moins en moins nombreux.

Évaluation de l'alimentation du bébé, 1er mois

Les trois paramètres suivants permettent de déterminer si votre modèle reçoit un approvisionnement énergétique adéquat.

Prise de poids : après la première semaine de fonctionnement, au cours de laquelle le nouveau-né peut perdre jusqu'à 10 % de son poids de naissance, il prend jusqu'à 30 g par jour. Si le poids du bébé augmente dans ces proportions, vous pouvez partir du principe qu'il mange suffisamment. Notez sa prise de poids lors de la prochaine visite au chargé de maintenance pédiatrique.

Indicateurs visuels : le réflexe de fouissement du bébé, préinstallé à la livraison (voir p. 82), peut aider l'utilisateur à évaluer l'appétit de son modèle. Si l'enfant a faim, il peut procéder au fouissement : il ouvre la bouche en tournant la tête, comme pour chercher quelque chose à manger.

Couches : un bébé bien nourri a généralement la couche sale ou mouillée de six à huit fois par jour.

Évaluation de l'alimentation du bébé, du 2e au 6e mois

Entre le 2e et le 6e mois, la consommation de lait maternel ou maternisé s'effectue selon un planning plus régulier, pour tous les modèles. À partir du 4e mois, certains bébés commencent à consommer des aliments solides simples, comme des céréales. Il n'existe pas de vérité universelle sur la quantité de nourriture à absorber. La plupart des modèles mangent huit fois par jour, les repas s'espaçant à mesure que le bébé grandit. Si l'alimentation de votre modèle vous préoccupe, fiez-vous aux trois indicateurs suivants :

Prise de poids : au cours de cette période, le bébé prend en moyenne de 15 à 30 g par jour. Lors de la prochaine visite chez le chargé de maintenance du bébé, notez sa prise de poids. Si elle suit *grosso modo* cette évolution, il y a fort à parier que l'approvisionnement énergétique est suffisant.

Indicateurs visuels : le réflexe de fouissement du bébé évolue, cédant la place à une recherche de nourriture plus ciblée. Le bébé pourra alors se mettre à téter votre bras ou ses doigts pour signifier s'il a faim. Par conséquent, il devient plus facile de déterminer ses besoins. Le bébé fera probablement savoir à l'utilisateur qu'il veut manger toutes les trois à quatre heures.

Couches : contrôlez-les pour vous assurer que tous les aliments ont été transformés comme il se doit. Lors de l'introduction des aliments solides, les déchets s'épaissiront et prendront la couleur de ces aliments.

Évaluation de l'alimentation du bébé, du 7e au 12e mois

Entre le 7e et le 12e mois, les repas du bébé commencent à se dérouler selon des horaires réguliers. Si le lait maternel ou maternisé demeure la base de son alimentation, il consomme aussi une variété d'aliments solides, comme des légumes et des fruits mixés, puis des biscuits, de la viande et d'autres protéines.

Au 7e mois, l'utilisateur a généralement une idée précise des quantités de nourriture dont le bébé a besoin. Si sa consommation vous préoccupe, référez-vous aux trois indicateurs suivants :

Prise de poids : le bébé prend environ 15 g par jour. C'est que son alimentation et son fonctionnement sont normaux.

Indicateurs visuels : désormais, l'utilisateur sait probablement décrypter les signaux émis par le bébé (il pleure, il porte les objets à la bouche ou il « mange » ses doigts). De même, les horaires de ses repas commencent peut-être à coïncider avec les vôtres (toutefois, le bébé a encore besoin de plusieurs en-cas entre les repas principaux).

Couches : comme la quantité d'aliments solides augmente, les déchets s'épaississent et prennent la couleur de la nourriture. Les couches pleines restent un indicateur fiable du bon fonctionnement du système de traitement des aliments.

***PAROLE D'EXPERT** : En règle générale, le bébé consomme environ de 180 à 240 ml de lait, de quatre à six fois par jour. Des aliments solides viennent compléter ses repas.*

Alimentation à la demande ou alimentation à horaires (plus ou moins) fixes ?

Pour l'approvisionnement énergétique de leur bébé, la plupart des utilisateurs optent généralement pour l'une ou l'autre des techniques suivantes :

Alimentation à la demande : tous les modèles de bébés sont livrés avec des indicateurs préinstallés, permettant de voir qu'un apport en nourriture est nécessaire (liste non exhaustive) : pleurs, fouissement, mains portées à la bouche. À l'émission d'un de ces signaux, l'utilisateur proposera à manger au bébé.

Alimentation à horaires (plus ou moins) fixes : cette méthode, préconisée par les utilisateurs de bébés de plus de trois mois, consiste à proposer à manger toutes les deux à quatre heures (avec des aménagements selon le rythme de sommeil du bébé, sa croissance et sa santé). Elle permet d'avoir un déroulement régulier des journées.

SEIN OU BIBERON : quel mode

Le premier aliment du bébé est le lait maternel ou le lait en poudre. Pédiatres, sages-femmes, puéricultrices et autres prestataires de services de l'industrie du bébé s'accordent à dire que le lait maternel est le meilleur

Lait maternel

AVANTAGES	INCONVÉNIENTS
Bon marché	La mère peut se sentir enchaînée au bébé
Disponibilité permanente	Moins de sommeil pour la mère
Solution naturelle	Tétées plus fréquentes
Riche en anticorps et autres enzymes précieux	Le père peut se sentir exclu
Améliore le lien mère-enfant	
Favorise les contractions utérines post-partum	
Contribue à apaiser le bébé	

d'alimentation choisir ?

aliment qui soit et qu'il permet d'optimiser les performances du bébé. Cependant, certains utilisateurs ne peuvent allaiter, d'autres ne le souhaitent pas. Choisissez le mode qui vous convient le mieux.

Biberons

AVANTAGES	INCONVÉNIENTS
Tout le monde peut donner à manger au bébé	Pas d'anticorps dans le lait en poudre
Moins de tétées dans la journée	Plus cher
Consommation facile à mesurer	Plus d'accessoires
Faciles à donner lors de vos déplacements	Plus de préparation
Pas de contraintes diététiques ni médicamenteuses pour la mère	

Allaitement

À savoir : les seins du père ne sont pas compatibles avec le système d'alimentation énergétique du bébé. Si vous êtes le père du bébé, lisez attentivement ce chapitre puis transférez ce manuel à la mère.

Le b.a.ba de l'allaitement

À la livraison du bébé, l'instinct et les compétences nécessaires à l'allaitement sont préinstallés. L'utilisateur, lui, a besoin d'une formation complémentaire. Familiarisez-vous avec les notions suivantes :

Colostrum : durant les premiers jours, les seins sécrètent ce liquide jaune épais, riche en anticorps, en protéines et en éléments nutritifs essentiels.

Lait de début et de fin de tétée : au cours d'une tétée, les seins produisent généralement deux types de lait différents. Le lait est d'abord peu épais et riche en eau, pour hydrater le bébé, puis il devient plus riche et plus épais, pour assurer la croissance et la bonne santé de l'enfant.

Réflexe de lactation : lorsque le bébé commence à téter, il est possible qu'un réflexe s'active chez la mère : son organisme libère alors des hormones qui stimulent la production de lait et qui font couler du lait de ses mamelons. Sachez que chez certaines mères, ce réflexe ne se déclenche pas. C'est parfaitement normal.

Engorgement des seins : il est possible que les seins de la mère se remplissent de lait à l'avance, provoquant un engorgement qui peut être désagréable. L'utilisatrice peut supprimer la pression en allaitant le bébé, en posant sur les seins une compresse chaude ou froide ou en utilisant un tire-lait.

***PAROLE D'EXPERT** : Si vous utilisez un tire-lait pour soulager un engorgement, ne prélevez pas plus de 30 ml à la fois. Plus vous prélèverez de lait, plus l'organisme en produira.*

Allaitement : les accessoires essentiels

Les accessoires suivants facilitent l'allaitement. Tous sont disponibles dans le commerce.

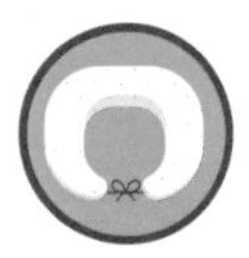

Coussin d'allaitement : ce genre de polochon qui s'installe autour du corps de la mère soutient le bébé pendant la tétée.

Porte-bébé : certaines utilisatrices utilisent un porte-bébé latéral (p. 30) pour maintenir le bébé pendant l'allaitement.

Chaise ou fauteuil à bascule confortable : une chaise ou un fauteuil adapté à la morphologie de la mère et à sa position préférée rendent l'allaitement plus confortable. Pour une meilleure ergonomie, certaines utilisatrices utilisent un repose-pieds.

Chemise et soutien-gorge d'allaitement : ces chemises, dotées de fentes qui se superposent plutôt que de boutons, améliorent l'accessibilité des seins, tout comme les soutiens-gorge d'allaitement, qui empêchent de surcroît toute fuite de lait après la tétée. Attendez la livraison du bébé pour acheter vos soutiens-gorge d'allaitement : après la montée de lait, le volume des seins varie d'une utilisatrice à l'autre.

Tire-lait et accessoires : manuel ou électrique, cet accessoire sert à extraire le lait des seins de l'utilisatrice, ce qui permet à cette dernière de souffler – et au père de donner le biberon. Cet accessoire est relativement cher, mais vous pourrez en louer un (en pharmacie). Il s'utilise en association avec des biberons ou des sachets de stockage pour le lait, et des biberons et des tétines pour la distribution au bébé.

Alimentation de la mère qui allaite

La composition du lait maternel varie en fonction de l'alimentation de la mère. Pour assurer une alimentation équilibrée au bébé – et pour garantir des performances de pointe, conformez-vous aux recommandations suivantes :

[1] Adaptez éventuellement votre apport calorique, en consommant de 300 à 500 calories de plus par jour. Demandez au chargé de maintenance du bébé si c'est nécessaire dans votre cas.

[2] Veillez à avoir une alimentation équilibrée, comportant notamment plusieurs portions de pain complet, de céréales, de fruits, de légumes et de produits laitiers par jour. Elle devra être riche en protéines, en calcium et en fer.

[3] Évitez le tabac, la caféine et l'alcool. Des travaux de recherche récents ont mis en évidence un lien direct entre le tabagisme des mères qui allaitent et la mort subite du nourrisson (voir p. 215). Vous pouvez éventuellement consommer de la caféine, mais avec modération, et uniquement après avoir allaité : ainsi, cette substance aura le temps de passer dans votre organisme avant la prochaine tétée. Idem pour l'alcool. Toutefois, mieux vaut renoncer totalement à la bière, au vin et aux cocktails.

[4] Certaines utilisatrices devront faire preuve de modération dans la consommation d'aliments épicés. Le lait parfumé au curry ou à l'ail déplaît à certains bébés, tandis que d'autres n'y voient pas d'objection. Lorsque vous consommez des aliments relevés, notez-le et observez la réaction du bébé.

[5] Si le bébé souffre de coliques, évitez les aliments susceptibles de donner des gaz (p. 201).

[6] Consultez systématiquement le chargé de maintenance pédiatrique avant de prendre des vitamines, des médicaments ou des compléments alimentaires. Beaucoup d'utilisatrices continuent à prendre les vitamines prescrites durant la grossesse lorsqu'elles allaitent.

[7] Buvez au moins 2 litres d'eau par jour.

[8] Évitez de faire un régime amincissant.

⚠ ***ATTENTION*** : *Si vous décidez d'entamer un régime, consultez un médecin pour vous assurer que le bébé aura une alimentation équilibrée. Ne prenez pas de coupe-faim et prévoyez de perdre seulement un demi-kilo par semaine, en associant alimentation saine et exercice physique. Attendez que le bébé ait au moins six semaines pour commencer. Sachez que la plupart des utilisatrices ne retrouvent leur poids initial que 10 à 12 mois après la livraison du bébé. À savoir également : l'allaitement consomme 300 calories par jour.*

[9] Si vous constatez des symptômes d'allergie aux laitages, tels que gaz, diarrhée, rougeurs ou agitation, bannissez tout produit laitier de votre alimentation pendant deux semaines et voyez si cela entraîne une amélioration. Si c'est le cas, parlez-en au chargé de maintenance.

Allaitement : les différentes positions

Il existe quantité de positions d'allaitement. Ci-dessous, vous en trouverez trois, comptant parmi les plus courantes. Les utilisatrices confirmées pourront les adapter à leur guise, au profit de variantes qui leur sembleront plus ergonomiques.

***PAROLE D'EXPERT** : Beaucoup d'utilisatrices se déshabillent avant d'allaiter, avant de faire de même avec le bébé. En effet, le contact peau à peau peut stimuler la tétée chez le bébé ainsi que la production de lait.*

Position « dans les bras de maman »

Cette position polyvalente est l'une des plus faciles pour utilisatrices débutantes (fig. A).

[1] Installez-vous dans un fauteuil confortable. Servez-vous de coussins pour soutenir vos bras, votre dos et le bébé. Posez éventuellement vos pieds sur un petit banc.

[2] Allongez le bébé dans vos bras, placez sa tête du côté du sein à téter.

[3] Tournez le bébé vers vous. Votre sein doit se trouver face à son visage.

[4] Repliez le bras du bébé sous lui, pour réduire sa mobilité.

[5] Connectez le bébé au sein (voir p. 82).

Position « sous le bras de maman »

Les mères ayant subi une césarienne utilisent volontiers cette position, qui évite que le bébé n'appuie sur la cicatrice. Elle est compatible avec tous les modèles de bébé, quel que soit leur mode de livraison (fig. B).

[1] Installez-vous dans un fauteuil confortable. Placez des coussins sous votre bras et posez vos pieds sur un petit banc.

[2] Glissez un bras sous le corps, le dos et la tête du bébé, de manière que ses pieds passent entre votre côté et votre bras. Si vous lui donnez le sein gauche, servez-vous du bras gauche. Sinon, prenez le bras droit. Soutenez sa tête et sa nuque avec votre bras.

[3] Tournez le bébé pour que son corps soit face à vous.

[4] Installez son torse sous votre aisselle.

[5] Connectez le bébé au sein (voir p. 82).

Position allongée

C'est la position la plus utilisée la nuit. Elle convient également lorsque la mère est fatiguée (fig. C).

[1] Allongez-vous. Pour donner le sein gauche, couchez-vous sur le côté gauche. Sinon, allongez-vous sur le côté droit.

[2] Placez un coussin derrière vous, un autre sous votre tête et un autre encore entre vos genoux.

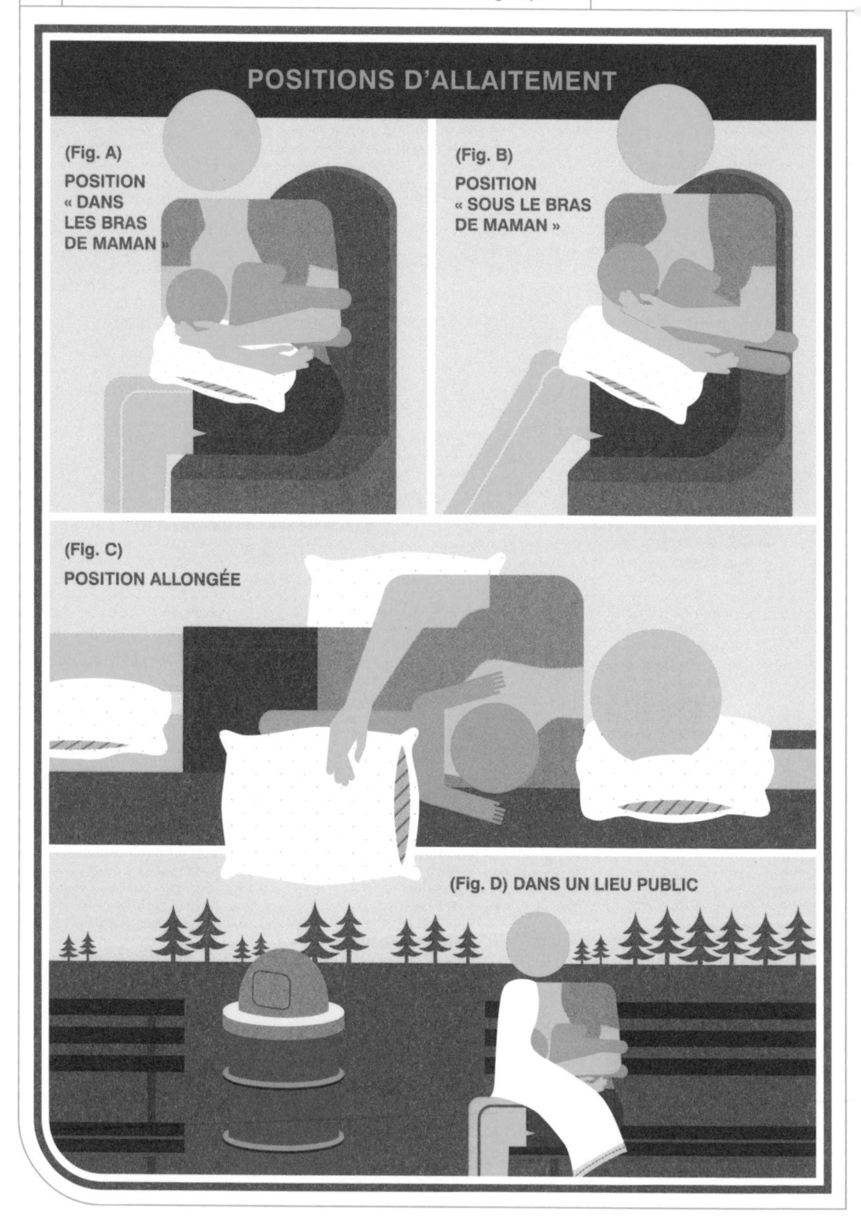
POSITIONS D'ALLAITEMENT
(Fig. A)
POSITION « DANS LES BRAS DE MAMAN »
(Fig. B)
POSITION « SOUS LE BRAS DE MAMAN »
(Fig. C)
POSITION ALLONGÉE
(Fig. D) DANS UN LIEU PUBLIC

[3] Posez le bébé à côté du sein que vous allez donner. Son corps doit être face à vous, son visage à la hauteur du sein.

[4] Installez un coussin derrière le bébé, pour le maintenir bien contre vous.

[5] Connectez le bébé au sein (voir p. 82).

Comment donner le sein en public

Vous pouvez parfaitement allaiter votre bébé dans la plupart des lieux publics. Les techniques suivantes rendront l'opération plus ergonomique (fig. D).

[1] Trouvez un endroit calme et confortable. Si vous êtes à l'extérieur, choisissez un endroit peu fréquenté, de préférence avec un banc ou un siège. Dans un restaurant ou un grand magasin, demandez si un espace calme est disponible.

[2] Utilisez la position « dans les bras de maman » ou « sous le bras de maman ». Couvrez le bébé et votre épaule avec une couverture qui fera office de tente, couvrant la tête du bébé et le sein. Elle doit être ni trop lourde, ni trop proche du visage du bébé.

[3] Commencez l'allaitement (voir p. 82).

[4] Faites faire le rot au bébé (voir p. 94), en laissant la couverture sur votre sein et sur le corps du bébé.

[5] Lorsque vous êtes prête à changer de sein, déplacez la couverture.

La connexion au sein

Une bonne connexion du bébé au sein est essentielle au bon déroulement de l'allaitement. Si le branchement au sein n'est pas bien fait, l'allaitement sera inefficace, frustrant et souvent douloureux.

[1] Installez le bébé face au sein, pour qu'il ait une bonne vision de sa source d'approvisionnement énergétique. Son corps doit être bien droit.

[2] Activez son réflexe de fouissement. Caressez sa joue avec un doigt : le bébé tournera la tête en direction du stimulus, le port « bouche » grand ouvert, prêt à entamer l'approvisionnement (fig. A).

[3] Levez son corps et sa tête vers le sein. Approchez toujours le bébé du sein, et non le sein du bébé.

[4] Placez la bouche du bébé contre le mamelon et l'aréole. Sa bouche doit être plaquée hermétiquement contre le sein (fig. B), sa lèvre inférieure tournée vers l'extérieur. S'il n'a pris que le mamelon ou une partie seulement de l'aréole, la tétée peut se révéler douloureuse pour la mère (et frustrante pour le bébé).

[5] Une fois le bébé connecté au sein, déplacez son corps pour le mettre contre le vôtre. Ajoutez éventuellement des coussins pour mieux le maintenir.

[6] La mise en route de la tétée devrait s'effectuer automatiquement. Lorsqu'il tète, le bébé a les oreilles qui bougent. De plus, vous l'entendrez déglutir.

[7] Pour le déconnecter du sein, glissez un doigt dans sa bouche pour qu'il cesse de téter, puis retirez le sein. Pour changer de sein ou si le bébé n'était pas bien positionné, répétez les étapes de 1 à 6.

PAROLE D'EXPERT : *Ne touchez jamais l'arrière de la tête du bébé pendant qu'il tète. Ce geste risquerait de provoquer un réflexe de retrait, susceptible d'endommager le sein. Tenez le bébé par la nuque, en dessous des oreilles, pour que votre main soutienne son cou.*

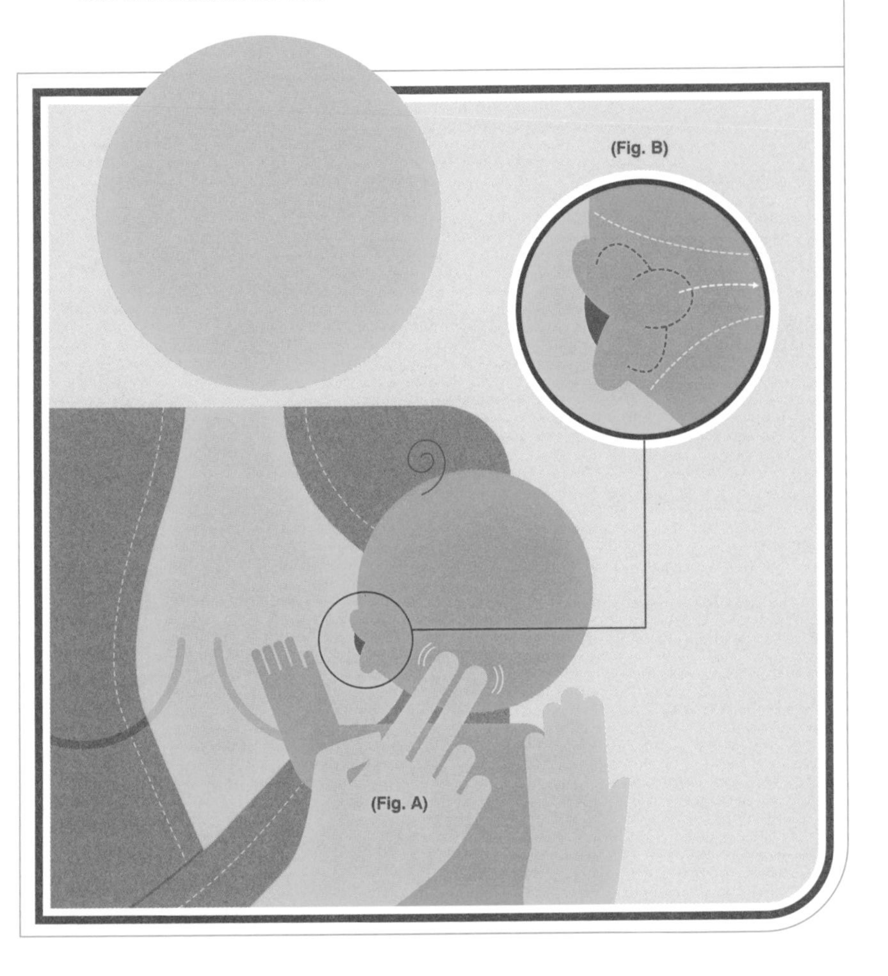

Alterner les seins et trouver la bonne fréquence des tétées

Dans une journée, l'idéal serait que le bébé passe autant de temps à chaque sein. Toutefois, le temps de connexion à chaque sein varie selon les modèles de bébé et d'une tétée à l'autre. Quantité de paramètres (poussée de croissance, fréquence des repas et philosophie en matière d'alimentation) interviennent dans la durée de la tétée. Nous recommandons toutefois aux utilisateurs de suivre les conseils suivants :

***PAROLE D'EXPERT** : Si vous ne produisez pas suffisamment de lait, essayez d'accroître la fréquence des tétées. Plus les seins sont stimulés, plus ils produisent de lait. Avant de donner des biberons de complément, consultez le chargé de maintenance du bébé.*

[1] Commencez chaque tétée avec le dernier sein utilisé lors de la tétée précédente. Pour vous en souvenir, mettez un trombone ou une épingle à nourrice sur votre soutien-gorge, sur le côté correspondant, ou notez-le, afin d'assurer un bon équilibre du dispositif de production laitière. Beaucoup de modèles passent plus de temps au premier sein qu'au second.

[2] Laissez le bébé au moins 10 à 15 minutes au premier sein. À l'issue de cette période, la plus grande partie du contenu aura été prélevé. Laissez téter le bébé jusqu'à ce qu'il se déconnecte.

[3] Faites-lui faire son rot (voir p. 94).

[4] Proposez-lui le deuxième sein, et laissez-le téter aussi longtemps qu'il le souhaite.

[5] Faites-lui faire son rot.

[6] Si nécessaire, installez une couche propre.

[7] Notez quel sein a été tété en dernier (voir étape 1).

PAROLE D'EXPERT : *Les nouveau-nés s'endorment volontiers pendant la tétée au premier sein ou juste après. Pour réveiller le bébé et poursuivre la connexion, essayez de procéder à l'installation d'une nouvelle couche, ou de caresser ses pieds ou son dos.*

Alimentation au biberon

Le biberon est un accessoire extrêmement pratique permettant aux utilisateurs qui n'allaitent pas de donner du lait à leur bébé. Quant aux utilisatrices qui allaitent, elles peuvent ainsi permettre à des tiers de nourrir le bébé, après avoir prélevé leur lait au tire-lait. Choisissez systématiquement des biberons incassables, de préférence dotés de tétines empêchant l'accumulation de bulles d'air.

Nettoyage des biberons

Pour empêcher toute contamination, stérilisez quotidiennement les accessoires utilisés pour nourrir le bébé au cours des six premiers mois. Après six mois, lavez tous les jours tous les accessoires au produit vaisselle et à l'eau, et stérilisez-les une fois par semaine : biberons, tétines, capuchons, etc.

[1] Lavez-vous soigneusement les mains, à l'eau chaude et au savon.

[2] Videz et lavez tous les accessoires utilisés, avec du produit vaisselle, de l'eau chaude et une brosse, puis rincez-les.

[3] Placez tous les accessoires dans une grande casserole remplie d'eau.

[4] Faites bouillir l'eau et les accessoires pendant dix minutes au moins. Ne couvrez pas la casserole, pour empêcher les objets de fondre.

[5] Enlevez la casserole du feu.

[6] Retirez tous les accessoires, égouttez-les et laissez-les sécher.

Les laits pour bébés

Il existe quantité de marques et de types de lait. Ces produits sont, pour la plupart, fabriqués à partir de lait de vache transformé pour être adapté aux besoins du bébé. Certains sont à base de lait de soja.

Choix d'un type de lait

La plupart des laits sont disponibles sous différentes présentations. Choisissez celle qui est la mieux adaptée à votre mode de vie.

(€€€) Dosettes individuelles : ces petits sachets contiennent la quantité de lait en poudre nécessaire à la préparation d'un biberon avec 210 ml d'eau. Extrêmement pratiques pour les déplacements avec le bébé.

(€€) **Briques de lait :** ce lait est déjà reconstitué. Il suffit de le verser dans le biberon stérilisé et de le réchauffer. Cette solution est un peu moins pratique que la précédente, mais aussi moins chère.

(€) **Lait en poudre :** il s'agit d'une poudre très concentrée, que l'utilisateur mélange avec de l'eau juste avant de donner le biberon au bébé. Ce lait demande davantage de préparatifs que les autres présentations, mais c'est la solution la moins onéreuse.

Comment réchauffer le lait en poudre

Préparez le lait, en mélangeant la poudre et l'eau. La préparation ne s'effectue pas à l'avance, mais juste avant le repas.

[1] Suivez les doses et indications figurant sur l'emballage. Utilisez une eau minérale adaptée aux nourrissons.

[2] Lavez-vous soigneusement les mains.

[3] Versez la quantité d'eau minérale nécessaire dans le biberon.

[4] Ajoutez la poudre.

[5] Fixez la tétine sur le biberon.

[6] Faites rouler doucement le biberon entre vos mains pour mélanger le lait, puis secouez énergiquement en maintenant le capuchon sur la tétine, jusqu'à ce qu'il n'y ait plus de grumeaux.

[7] Faites tiédir le biberon au bain-marie, dans un chauffe-biberon ou dans une casserole d'eau chaude.

[8] Pour vérifier la température du lait, faites tomber quelques gouttes à l'intérieur de votre poignet. Le lait doit être à la température du corps, ou légèrement plus froid. S'il est trop chaud, placez-le au réfrigérateur pour le faire refroidir.

Préparation des biberons en promenade

Si votre bébé est nourri au biberon, conservez toujours un biberon propre, du lait en poudre et de l'eau minérale (ou une brique de lait) dans votre sac à langer de sortie. La plupart des restaurants et cafés réchaufferont volontiers le repas de bébé.

[1] Préparez le biberon avec l'eau minérale et le lait en poudre, ou en y versant le contenu de la brique de lait.

[2] Fermez-le et faites-le tourner entre vos deux mains, puis secouez-le vigoureusement, en couvrant la tétine. Assurez-vous qu'il n'y a pas de grumeaux dans le biberon ni dans la tétine.

[3] Si vous êtes dans un café ou dans un restaurant, demandez éventuellement qu'on vous fasse tiédir le biberon.

[4] Vérifiez la température, en faisant tomber quelques gouttes de lait à l'intérieur de votre poignet. Il doit être à la température du corps ou légèrement plus froid.

[5] Donnez le biberon au bébé (voir p. 90).

Stockage du lait maternel

[1] Prélevez votre lait, avec un tire-lait ou manuellement, puis mettez-le dans un récipient stérile, comme un biberon. Ayez en stock l'équivalent d'un repas entier (60 à 120 ml), plus quelques compléments (30 à 60 ml).

[2] Fermez hermétiquement le récipient.

[3] Inscrivez-y la date et l'heure.

[4] Placez le récipient au réfrigérateur ou transvasez son contenu dans un sachet en plastique pour le congeler. Au réfrigérateur, le lait maternel se conserve cinq jours. Durant cette période, il peut également être congelé. Ainsi, il se conservera de deux à quatre mois.

⚠ ***ATTENTION*** *: Une fois décongelé, le lait maternel doit être consommé dans les 24 heures. Au-delà de ce délai, jetez le lait non utilisé.*

Comment réchauffer du lait maternel

[1] Si le lait a été congelé, décongelez-le en passant le récipient sous l'eau tiède (mais pas chaude) ou placez-le au réfrigérateur. Transvasez le lait dans un biberon.

[2] Placez le biberon dans un récipient rempli d'eau chaude, pour le faire tiédir.

⚠ ***ATTENTION*** *: Ne réchauffez pas le lait maternel au micro-ondes. Ces fours chauffent de manière irrégulière et ils éliminent des enzymes précieux contenus dans le lait maternel.*

[3] Fixez la tétine sur le biberon.

[4] Faites rouler doucement le biberon entre vos deux mains. Avec la chaleur, il arrive que les matières grasses du lait se séparent. Ainsi, elles se réintégreront au lait. Ne secouez pas le biberon.

[5] Contrôlez la température du lait, en faisant tomber quelques gouttes à l'intérieur de votre poignet. Il doit être à la température du corps ou légèrement plus froid. S'il est trop chaud, laissez-le refroidir au réfrigérateur.

[6] Servez (voir ci-dessous). Jetez le lait restant.

Comment donner le biberon au bébé

Le biberon présente l'avantage de pouvoir être donné n'importe où et n'importe quand, assis confortablement ou même debout. Tenez toujours le bébé bien droit. En buvant allongé, il risquerait de s'étouffer.

[1] Juste avant de donner le biberon, passez la tétine sous l'eau tiède, pour qu'elle soit à la température du corps (fig. A).

[2] Allongez le bébé dans vos bras (voir p. 78). Sa tête doit être légèrement plus haute que son corps (fig. B).

[3] Activez son réflexe de fouissement. Caressez sa joue avec un doigt. Il tournera la tête vers le stimulus, le port « bouche » grand ouvert, prêt à l'approvisionnement en nourriture (fig. C).

[4] Glissez la tétine dans sa bouche, de manière qu'elle touche son palais. Les lèvres du bébé doivent être tournées non pas vers l'intérieur, mais vers l'extérieur (fig. D).

PAROLE D'EXPERT *: Essayez de glisser la tétine dans la bouche une lèvre après l'autre. Poussez très doucement la lèvre supérieure du bébé vers le haut en glissant la tétine dans sa bouche puis poussez ensuite la tétine vers le bas et vers l'extérieur.*

[5] Tenez le biberon bien droit. Le lait doit entièrement remplir la partie arrondie de la tétine. Ne laissez jamais le bébé tenir le biberon pour le boire tout seul : cette opération peut entraîner des blessures ou des dysfonctionnements.

ATTENTION *: Ne laissez pas d'air entrer dans la partie arrondie de la tétine. Cela peut provoquer des gaz et une sensation d'inconfort.*

[6] Retirez le biberon au bout de cinq à dix minutes. Le bébé devrait avoir bu de 60 à 90 ml (fig. E).

[7] Aidez le bébé à faire son rot (voir p. 94) (fig. F).

[8] Reprenez la tétée jusqu'à ce que le bébé ait bu la quantité prévue ou qu'il ait l'air rassasié (fig. G).

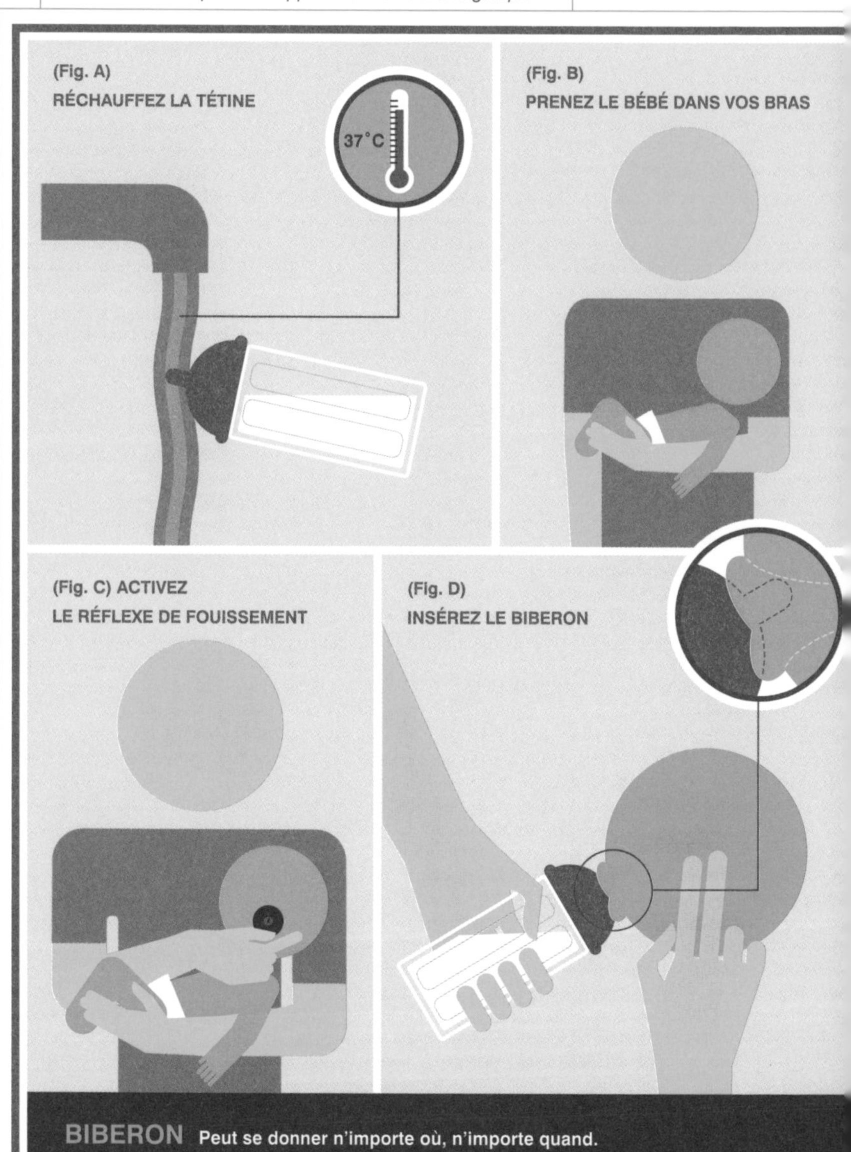
(Fig. A)
RÉCHAUFFEZ LA TÉTINE
37°C
(Fig. B)
PRENEZ LE BÉBÉ DANS VOS BRAS
(Fig. C) ACTIVEZ
LE RÉFLEXE DE FOUISSEMENT
(Fig. D)
INSÉREZ LE BIBERON

BIBERON Peut se donner n'importe où, n'importe quand.

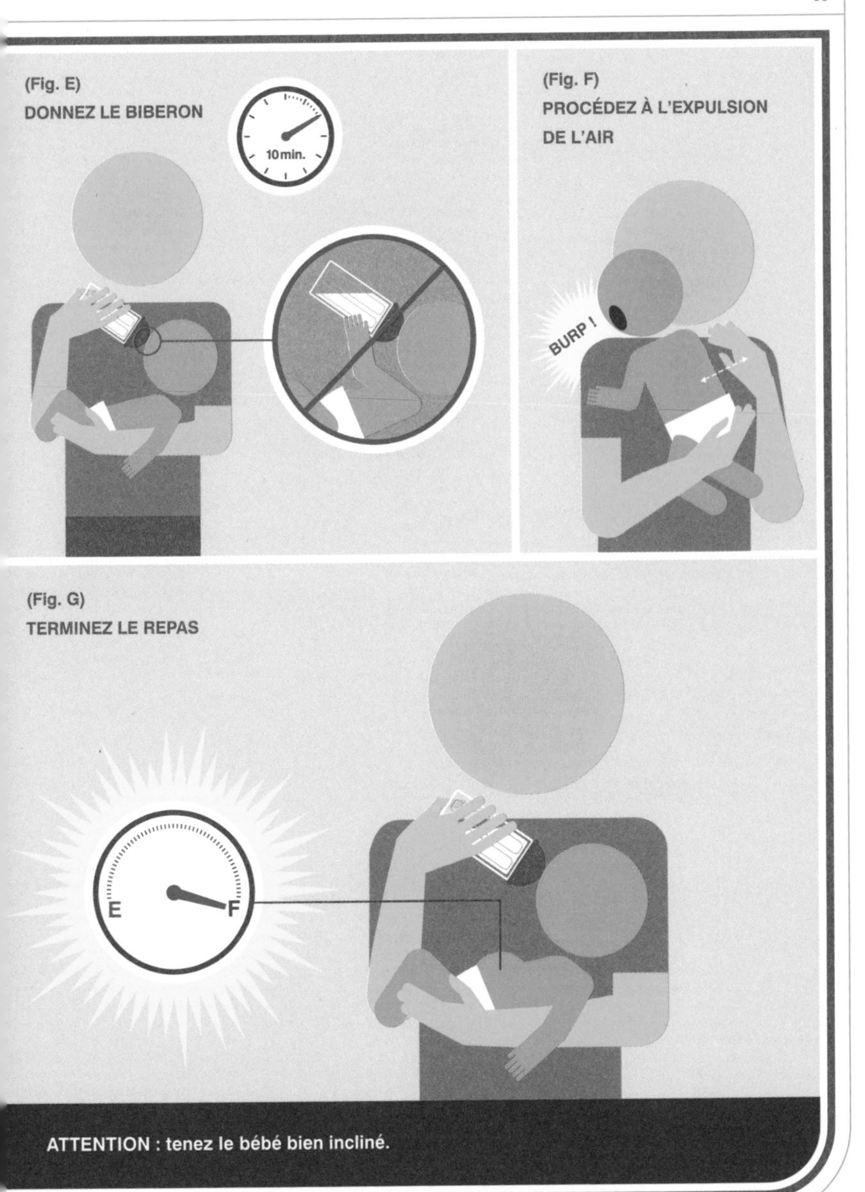
(Fig. E)
DONNEZ LE BIBERON
10 min.
(Fig. F)
PROCÉDEZ À L'EXPULSION
DE L'AIR
BURP !
(Fig. G)
TERMINEZ LE REPAS
E
F

ATTENTION : tenez le bébé bien incliné.

Assistance au rot

En mangeant, le bébé avale de l'air, ce qui peut provoquer une sensation de satiété erronée, des gaz ou des renvois. L'utilisateur évitera ces désagréments en faisant faire un rot au bébé, à intervalles réguliers. Au cours des premiers mois de fonctionnement, le bébé doit faire un rot en milieu et en fin de repas. Après quatre mois environ, faites-lui faire plusieurs rots pendant le repas, notamment après avoir bu de 60 à 90 ml de son biberon, ou en changeant de sein.

PAROLE D'EXPERT *: Certains bébés ont du mal à se remettre à manger après une interruption. Si vous rencontrez ce type de difficultés avec votre modèle, attendez la fin du repas pour lui faire faire son rot.*

Les techniques suivantes aident le bébé à faire son rot.

Le rot à l'épaule (fig. A)

[1] Posez un lange ou une serviette sur votre épaule.

[2] Tenez le bébé à la verticale (voir p. 43).

[3] Frottez son dos, en décrivant des petits ronds près des omoplates. Si la procédure n'active pas la fonction « rot », passez à l'étape suivante.

[4] Tapotez doucement le dos du bébé, des fesses aux omoplates.

[5] Répétez les étapes 3 et 4 pendant cinq minutes. Si la fonction « rot » n'a toujours pas été activée, reprenez le repas (ou procédez au nettoyage). Le bébé devrait alors fonctionner normalement.

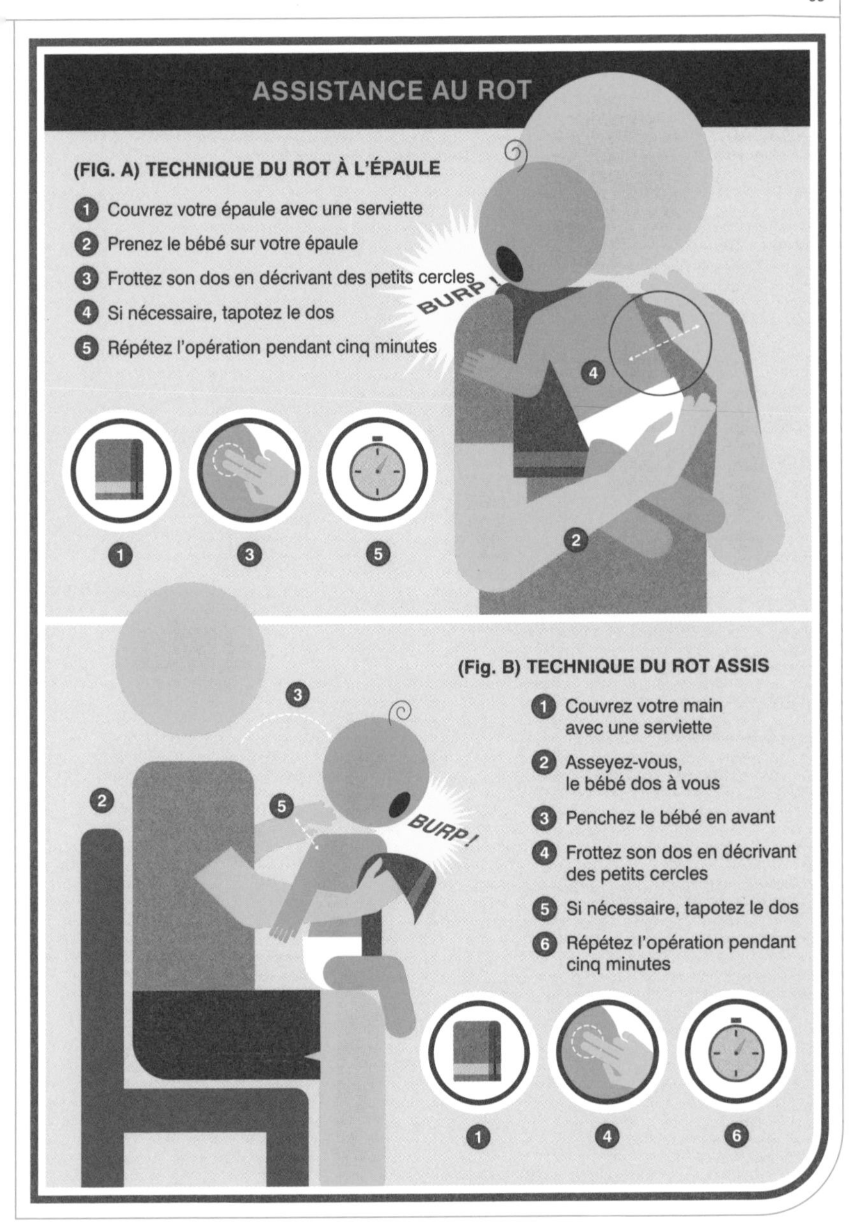
ASSISTANCE AU ROT
(FIG. A) TECHNIQUE DU ROT À L'ÉPAULE
1 Couvrez votre épaule avec une serviette
2 Prenez le bébé sur votre épaule
3 Frottez son dos en décrivant des petits cercles
4 Si nécessaire, tapotez le dos
5 Répétez l'opération pendant cinq minutes
BURP !
(Fig. B) TECHNIQUE DU ROT ASSIS
1 Couvrez votre main avec une serviette
2 Asseyez-vous, le bébé dos à vous
3 Penchez le bébé en avant
4 Frottez son dos en décrivant des petits cercles
5 Si nécessaire, tapotez le dos
6 Répétez l'opération pendant cinq minutes
BURP !

Technique du rot assis (fig. B)

[1] Couvrez votre main avec un lange ou une serviette, et asseyez-vous sur une chaise.

[2] Installez le bébé sur vos genoux, dos à vous. Posez votre main libre sur son dos, et la main couverte sur sa poitrine, en soutenant sa tête et son cou avec vos doigts. Penchez le bébé vers l'avant.

[3] Frottez son dos. Décrivez des petits cercles près de ses omoplates. Si la procédure n'active pas la fonction « rot », passez à l'étape suivante.

[4] Tapotez doucement son dos, du bas vers les épaules.

[5] Répétez les étapes 3 et 4 pendant cinq minutes. Si cela ne conduit toujours pas à la production d'un rot, reprenez le repas (ou procédez au nettoyage). Le bébé devrait alors fonctionner normalement.

Suppression des repas de nuit

Le bébé a besoin de manger la nuit jusqu'à neuf à douze mois au moins. En revanche, à l'âge d'un an, ces repas relèvent davantage de l'habitude que de la nécessité physiologique. Pour supprimer ces approvisionnements en énergie, suivez la procédure suivante :

[1] Réduisez progressivement les quantités distribuées. Si vous donnez le biberon, préparez 210 ml la première nuit, 180 ml la deuxième, et ainsi de suite. Si vous allaitez, réduisez le temps de connexion au sein d'une minute chaque nuit.

[2] Soyez attentif aux habitudes alimentaires du bébé pendant la journée. La plupart des modèles compenseront le repas supprimé la nuit en mangeant davantage pendant la journée. À terme, le bébé se passera de repas la nuit.

Introduction des aliments solides

Lorsque le bébé se tient assis tout seul, qu'il mâche ou mordille différents objets et qu'il a doublé son poids de naissance, il est prêt à manger des aliments solides – généralement entre le quatrième et le sixième mois. Avant d'introduire des aliments solides, parlez-en avec le chargé de maintenance du bébé.

Aliments solides : les équipements incontournables

La transition du lait aux aliments solides nécessite les équipements suivants :

Petites cuillères pour bébé : ces objets en plastique incassable sont d'une taille compatible avec le petit port « bouche » du bébé, et suffisamment mous pour ne pas endommager ses gencives. Deux ou trois petites cuillères devraient suffire.

Assiettes pour bébé : ces accessoires en plastique incassable, spécialement conçus pour les bébés, contiennent des petites quantités de nourriture.

Bavoirs : ces petits dispositifs en tissu se nouent autour du cou du bébé, pour réduire la quantité de nourriture recrachée ou étalée sur ses vêtements. Vous en trouverez dans tous les magasins d'accessoires pour bébé.

Chaise haute : ce dispositif surélève le bébé et restreint fort judicieusement sa mobilité pendant les repas. Il en existe différentes variantes. La plupart sont équipées d'une tablette destinée à accueillir la nourriture. Choisissez un modèle robuste.

⚠ ***ATTENTION** : N'installez pas le bébé dans une chaise haute avant qu'il ne se tienne assis tout seul. Ne laissez jamais un bébé sans surveillance dans une chaise haute.*

Distribution des aliments solides

Les céréales sont une excellente initiation aux aliments solides, notamment les céréales instantanées pour bébé. Les premiers repas devront être considérés comme des opérations de formation et, à ce titre, ne seront pas comptabilisés dans le nombre quotidien de repas. Donnez un seul repas solide par jour, en continuant avec le rythme habituel de biberons ou de tétées.

[1] Préparez la bouillie. Mélangez une cuillère à soupe (15 ml) de céréales avec trois cuillères à soupe (45 ml) de lait maternel, d'eau ou de lait maternisé reconstitué dans une tasse ou dans une assiette. Remuez jusqu'à ce qu'il n'y ait plus de grumeaux. La préparation, assez liquide, se sert tiède ou froide.

[2] Installez le bébé sur vos genoux ou dans une chaise haute qui le maintient bien.

[3] Mettez-lui un bavoir.

[4] Prélevez une demi-cuillerée de bouillie et glissez-la dans la bouche du bébé. Il est possible qu'il la repousse avec sa langue, dans la mesure où tous les modèles

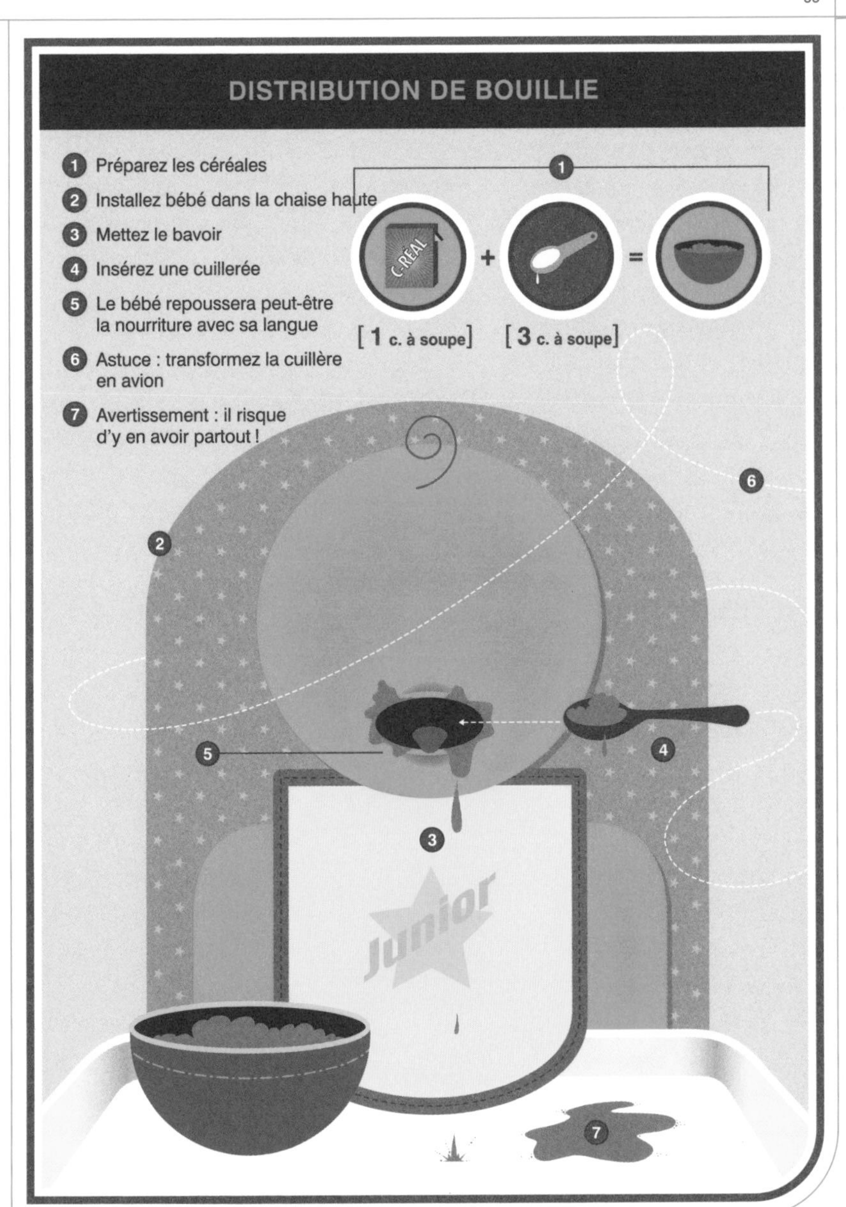
DISTRIBUTION DE BOUILLIE
1 Préparez les céréales
2 Installez bébé dans la chaise haute
3 Mettez le bavoir
4 Insérez une cuillerée
5 Le bébé repoussera peut-être la nourriture avec sa langue
6 Astuce : transformez la cuillère en avion
7 Avertissement : il risque d'y en avoir partout !
C-RÉAL
[1 c. à soupe]
[3 c. à soupe]
Junior

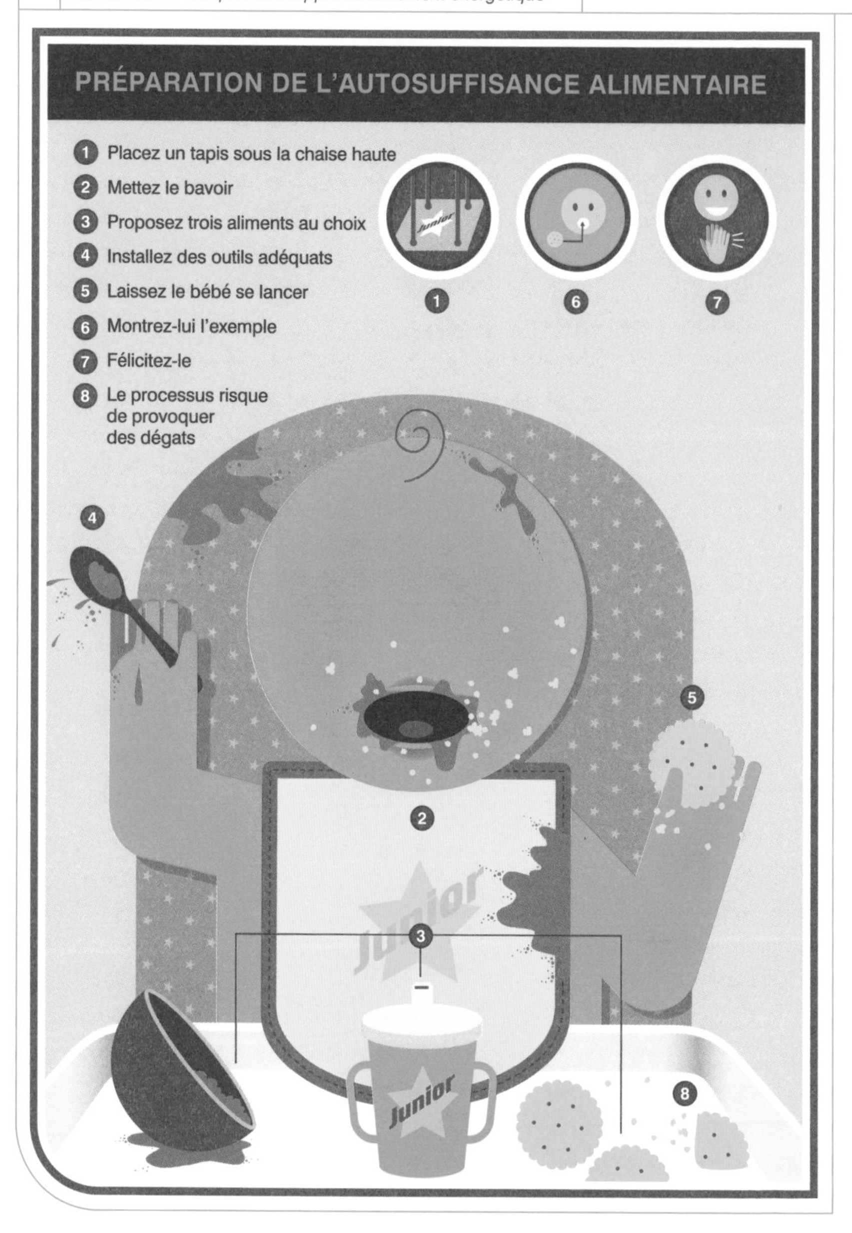
PRÉPARATION DE L'AUTOSUFFISANCE ALIMENTAIRE
1 Placez un tapis sous la chaise haute
2 Mettez le bavoir
3 Proposez trois aliments au choix
4 Installez des outils adéquats
5 Laissez le bébé se lancer
6 Montrez-lui l'exemple
7 Félicitez-le
8 Le processus risque de provoquer des dégats
Junior
1
6
7
4
5
2
Junior
3
Junior
8

de bébés déplacent leur langue d'avant en arrière pour téter. Avec un peu d'entraînement, il apprendra à conserver la nourriture dans sa bouche.

[5] Répétez l'étape 4 avec une nouvelle cuillerée ou avec ce que le bébé a recraché, jusqu'à ce que l'assiette soit vide ou que le bébé ait l'air rassasié.

[6] Soyez patient. Le bébé acquiert une technique nouvelle et complexe, très différente de la tétée. Consultez son chargé de maintenance pour connaître le moment propice à l'introduction de fruits ou de légumes mixés, frais ou en petits pots, et d'aliments en petits morceaux.

Préparation de l'autosuffisance alimentaire

À la livraison, un système de préhension est préinstallé sur le bébé, ce qui lui permettra à terme de s'alimenter tout seul. Toutefois, cette fonctionnalité ne sera pas totalement opérationnelle avant douze mois au moins. Effectuez les exercices suivants avec le bébé, pour le préparer à un fonctionnement autonome.

[1] Installez un tapis sous la chaise haute.

[2] Attachez un bavoir autour du cou du bébé, et mettez-le bien à plat sur sa poitrine.

[3] Placez devant lui trois aliments au choix. N'en proposez pas davantage : cela perturberait son bon fonctionnement. Choisissez des aliments de petite taille (morceaux de pain, petits biscuits, etc.) ou coupez des aliments plus gros en bouchées. En lui proposant des textures et des goûts variés, vous permettrez au bébé de découvrir ses préférences.

[4] Installez des accessoires adaptés à la taille du bébé. Même s'il ne peut pas les utiliser dans un premier temps, il se familiarisera avec eux.

[5] Laissez le bébé découvrir les aliments, en les touchant et en essayant de les saisir. Il ne comprendra peut-être pas d'emblée qu'ils sont destinés à être introduits dans sa bouche, mais la plupart des modèles finissent par porter à la bouche tout objet placé devant eux.

[6] Montrez-lui la procédure à suivre : prenez un aliment, mettez-le dans votre bouche, mâchez-le et avalez-le.

[7] Faites preuve de patience. Ne vous énervez pas si le bébé prend du temps. Il s'agit d'un processus extrêmement lent.

[8] Félicitez le bébé. Applaudissez et manifestez votre joie lorsqu'il prend un aliment ou qu'il le met dans sa bouche. Il est possible qu'il recommence pour susciter votre enthousiasme.

***ATTENTION** : Ne forcez jamais le bébé à manger. S'il refuse un aliment, tentez à nouveau votre chance quelques minutes plus tard. Si vous l'obligez à manger, il associera les repas à des événements négatifs.*

***PAROLE D'EXPERT** : La tasse à bec est un accessoire indispensable à tout buveur débutant. Dotée d'un couvercle et d'un bec empêchant le liquide de s'écouler en l'absence de succion, elle ne peut se vider lorsqu'elle se renverse. La plupart des modèles de bébé ne s'en servent pas avant l'âge d'un an environ. Certains modèles ne sont pas compatibles avec ces objets, qui épargnent pourtant bien des soucis et du nettoyage aux utilisateurs.*

Six aliments à éviter

Les bébés qui commencent à consommer des aliments solides ne doivent pas être exposés aux substances suivantes, susceptibles de provoquer des réactions allergiques violentes.

Miel : ce produit sucré peut entraîner le développement d'une toxine dans les intestins du bébé. Ne lui en donnez pas au cours des deux premières années suivant sa mise en service.

Cacahuètes ou produits à base de cacahuètes : ces petites noix, ainsi que les produits dérivés, comme le beurre de cacahuète ou l'huile d'arachide, peuvent provoquer des réactions allergiques violentes. N'en donnez pas au bébé durant les trois années suivant sa mise en service.

Agrumes et jus d'agrumes : ces fruits sont trop acides pour le système digestif délicat du bébé. Sur certains modèles, ils peuvent entraîner des réactions allergiques ou des maux d'estomac. Consultez le chargé de maintenance du bébé pour déterminer le moment adéquat à l'introduction des agrumes.

Caféine : les produits contenant de la caféine ou des substances associées, comme le chocolat, le thé, le café ou les boissons gazeuses, nuisent à l'absorption du calcium chez le bébé.

Blanc d'œuf : il peut être difficile à digérer pour le bébé. Ne lui en donnez pas avant que son chargé de maintenance l'ait conseillé.

Lait de vache : le lait de vache entier peut provoquer une réaction allergique chez le bébé. Ne lui en donnez pas avant l'âge d'au moins un an.

Sevrage du bébé

Lors du sevrage, les tétées au sein seront progressivement remplacées par des repas au biberon ou à la tasse. N'entamez pas ce processus avant les six mois du bébé, le premier semestre étant jugé essentiel pour l'allaitement par les chargés de maintenance. Lorsque l'utilisateur ou le bébé est prêt à procéder au sevrage, suivez la technique suivante :

[1] Proposez une tasse ou un biberon de lait maternel ou de lait maternisé lors d'un repas.

[2] Si le bébé a du mal à s'adapter à cette nouvelle source d'approvisionnement énergétique, essayez de le nourrir à un endroit différent ou de changer l'éclairage et la musique. Créez une atmosphère différente pour ce nouveau type de repas.

[3] Réduisez progressivement le nombre quotidien de tétées au sein. Toutes les deux semaines, remplacez une nouvelle tétée par un biberon ou un repas solide. Consultez le chargé de maintenance pour vous assurer que le bébé reçoit bien tous les nutriments nécessaires.

[4] Lorsque le nombre de tétées aura été réduit à une seule par jour, donnez-la le soir avant de passer le bébé en mode sommeil.

[5] Chaque soir, réduisez la dernière tétée de quelques minutes.

PAROLE D'EXPERT : *Il est possible que le bébé tente de procéder de lui-même au sevrage. Certains modèles sont équipés d'un dispositif détectant automatiquement le moment adéquat, généralement après neuf mois environ. Si votre modèle montre des velléités de sevrage avant neuf mois, assurez-vous qu'il ne s'agit pas d'un autre problème. Il est possible qu'en réalité, il soit distrait ou gêné par quelque chose. Consultez son chargé de maintenance pour exclure tout problème de santé. Beaucoup de modèles refuseront le sein après six mois, mais il s'agit souvent d'un dysfonctionnement temporaire – le bébé se reconnectera généralement au sein au bout de quelques jours.*

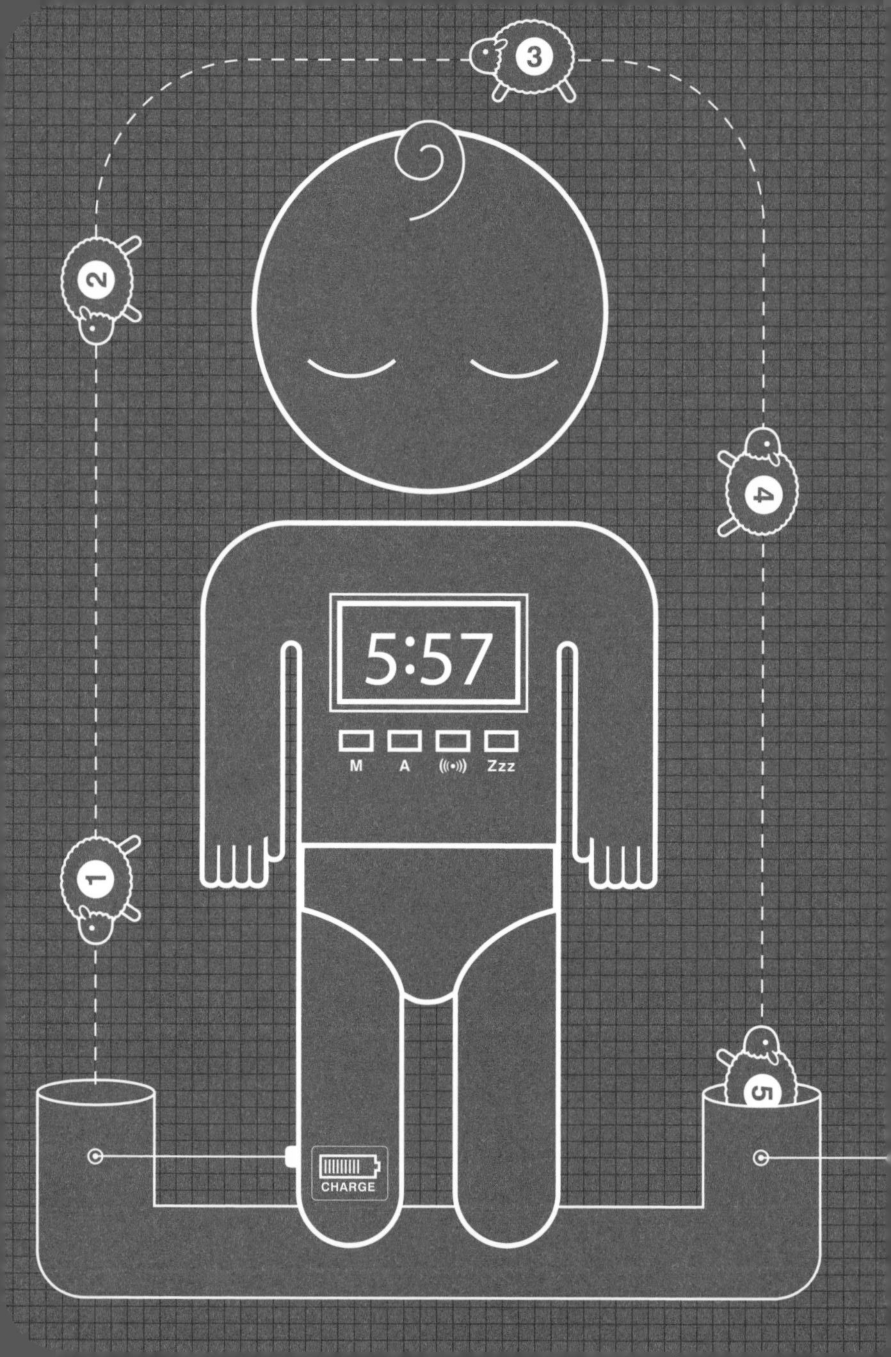

5:57
M
A
Zzz
CHARGE

[Chapitre 4]

Programmation du mode sommeil

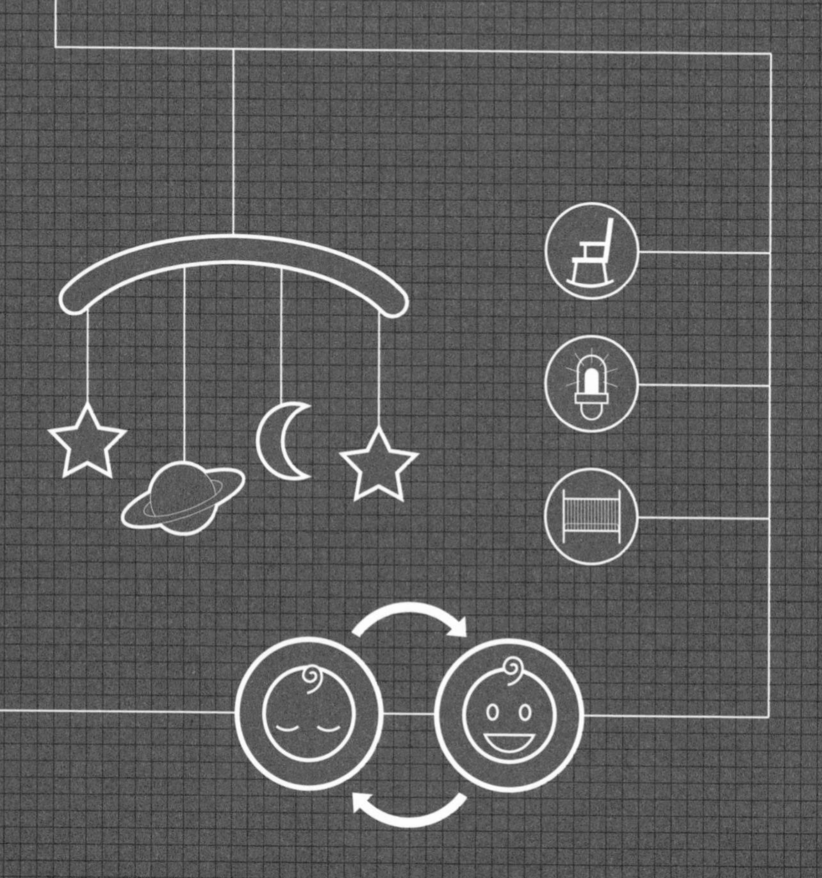

Configuration de l'espace où dort le bébé

L'espace-sommeil est la zone la plus importante de la chambre du bébé. À ce titre, il doit être configuré avec soin. Certains utilisateurs aménagent leur propre chambre pour y accueillir le bébé.

Quel que soit l'endroit où il dort, couchez toujours le bébé sur le dos. Des études ont démontré que cette position réduit considérablement le risque de mort subite du nourrisson (voir p. 215). Environ quatre mois après sa mise en service, le bébé se tournera peut-être de lui-même pour dormir sur le côté ou sur le ventre.

⚠ *ATTENTION : Lorsque le bébé passe en mode sommeil, retirez tous les coussins, couvertures et animaux en peluche de son lit. S'il s'allonge sur ou sous ces objets pour dormir, son approvisionnement en oxygène peut s'en trouver altéré, ce qui risque d'entraîner de graves dysfonctionnements.*

Le couffin (fig. A)

Un couffin est un petit lit portable adapté au bébé durant les premiers mois qui suivent sa mise en service. Les magasins spécialisés en puériculture en proposent différents modèles. Beaucoup d'utilisateurs apprécient cet accessoire pour sa portabilité. Le bébé et son couffin restent à portée de main, ce qui est fort pratique pour les repas de nuit.

Le couffin doit posséder un matelas ferme adapté à ses dimensions : l'intervalle entre le matelas et les bords du couffin ne doit pas excéder 2 cm. Choisissez un couffin solide, susceptible de résister à des chocs accidentels.

Le lit à barreaux (fig. B)

Le lit à barreaux accueille le bébé jusqu'à ce qu'il soit en âge de dormir dans un grand lit. Les normes de sécurité imposent que les barreaux ne soient pas espacés de plus de 6,5 cm. La barrière supérieure doit être à 23 cm au moins du matelas en position abaissée, et à 60 cm du matelas lorsqu'elle est relevée. Assurez-vous que votre lit à barreaux est bien conforme à ces normes ou à des normes plus récentes, surtout s'il s'agit d'un meuble de famille.

Vous pouvez équiper le lit d'un tour de lit, pour empêcher le bébé de se cogner la tête contre les barreaux. Les liens permettant de le fixer doivent être courts, noués solidement, et se trouver sur l'extérieur du lit.

⚠ ***ATTENTION*** *: une fois que le bébé sera mobile (généralement vers sept à neuf mois), retirez le tour de lit : l'enfant risquerait de l'utiliser comme une échelle, pour sortir de son lit.*

Votre lit (fig. C)

De nombreux utilisateurs dorment avec le bébé dans leur lit. C'est possible, à condition que le matelas soit ferme : on a constaté que les matelas trop mous accroissent le risque de mort subite du nourrisson (voir p. 215). Avant d'installer le bébé dans votre lit, enlevez les coussins, les dessus de lit lourds et les grandes couvertures. Pour le bébé, prévoyez une couverture légère. La configuration la plus sûre est celle où le bébé dort entre ses deux parents, qui font office de barrières de sécurité. Un traversin ne saurait remplacer un deuxième parent. Enlevez cet accessoire de votre lit.

⚠ ***ATTENTION*** *: Ne laissez pas le bébé s'endormir sur un oreiller. Cela risque d'interférer sur son approvisionnement en oxygène et d'entraîner de graves dysfonctionnements.*

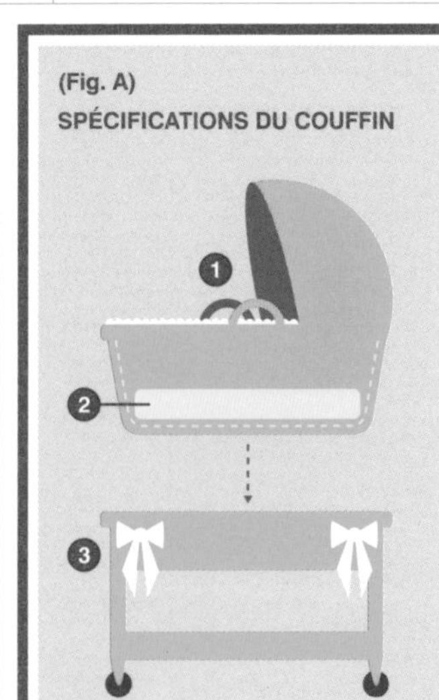

1. **COUFFIN**
2. Matelas ferme, espace entre matelas et couffin inférieur à 2 cm
3. Support solide
4. **LIT À BARREAUX**
5. Hauteur des barreaux conforme aux normes
6. Intervalle entre les barreaux inférieur à 6,5 cm
7. Matelas ferme, espace entre matelas et lit inférieur à 2 cm
8. **LIT**
9. Occupants du lit faisant office de barrière de sécurité
10. Couverture légère pour bébé
11. Pas de coussins ni de couvertures lourdes près du bébé

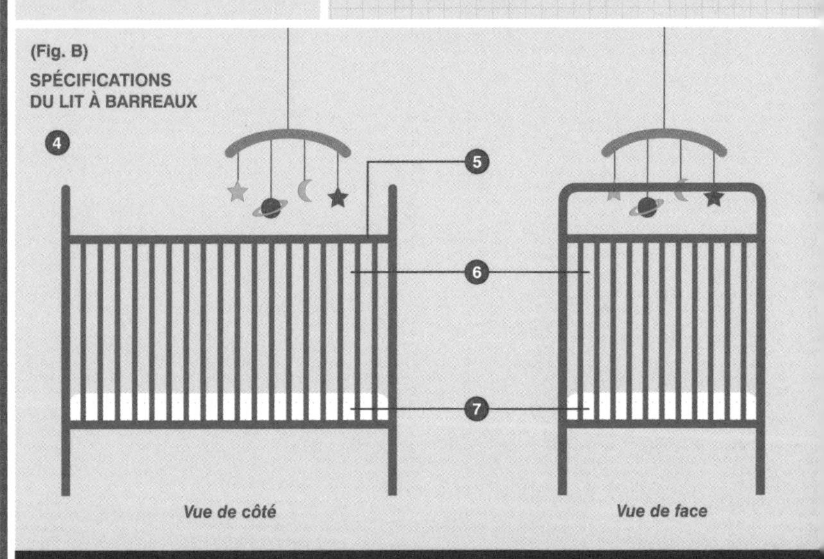

CONFIGURATION DE L'ESPACE-SOMMEIL Qu'il dorme dans un couffi

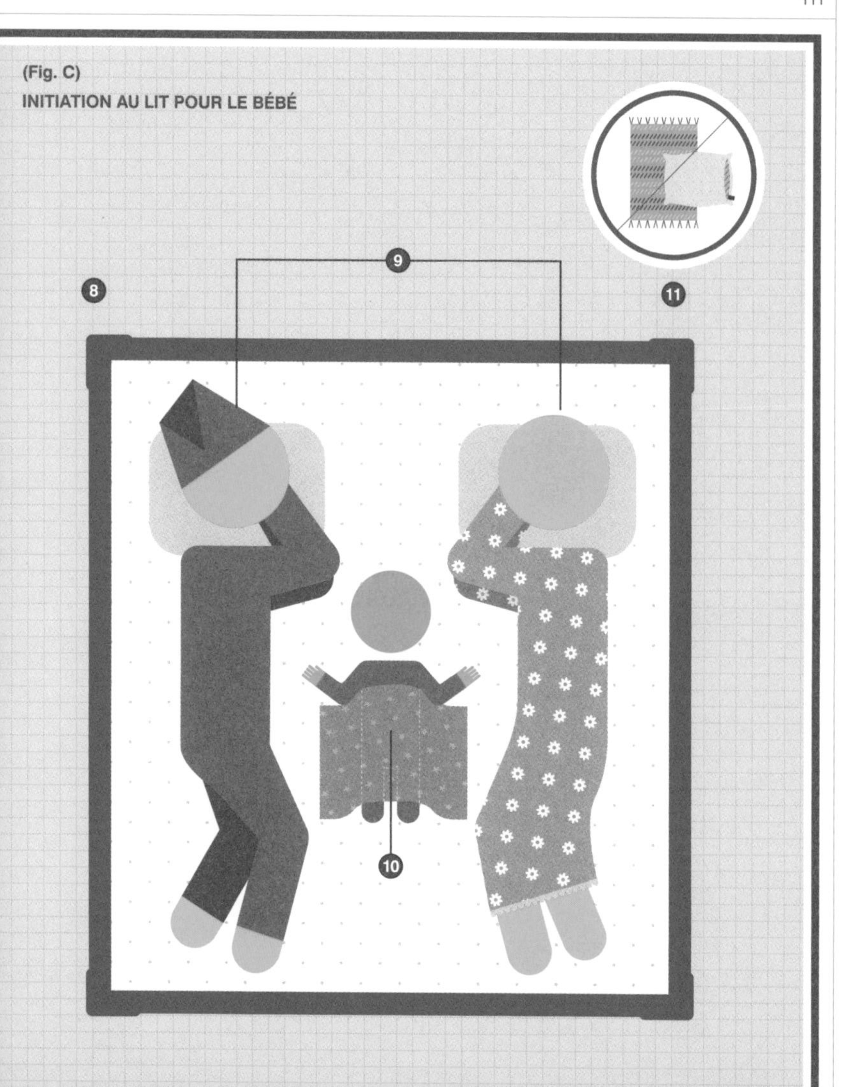

(Fig. C)
INITIATION AU LIT POUR LE BÉBÉ

ns un lit à barreaux ou dans le lit des utilisateurs, la sécurité du bébé est une priorité.

Fonctionnement du mode sommeil

Les nouveau-nés ne sont pas livrés équipés d'une horloge interne qui leur permet de distinguer le jour et la nuit. En raison de leur besoin quasi constant en nourriture, la plupart des modèles dorment par périodes de 2 à 4 heures, empêchant souvent l'utilisateur de dormir à sa guise.

Ces caractéristiques ne constituent nullement un défaut de fabrication. D'ailleurs, une bonne maintenance permet de les pallier. En règle générale, un nouveau-né a besoin d'au moins 16 heures de sommeil par jour ; toutefois, les besoins varient considérablement d'un modèle à l'autre. Le rythme du sommeil du bébé est influencé par des paramètres comme la faim, les poussées de croissance et les perturbations de son environnement (télévision, orage magnétique, etc.).

Entre le deuxième et le sixième mois, ses besoins en sommeil diminuent. À la fin du troisième mois, certains modèles dorment six heures d'affilée, parfois pendant la nuit. D'autres modèles n'effectuent pas de longues périodes de sommeil de nuit avant l'âge d'un an. L'aptitude du bébé à dormir longtemps est parfois influencée par l'endroit où il dort et par la procédure utilisée pour le passer en mode sommeil. À cet âge, tous les modèles ont besoin de 14 à 15 heures de sommeil au total.

Entre sept et douze mois, le bébé devrait dormir de longues périodes, sans interruption, pendant la nuit, car il mange moins souvent et ses cycles de sommeil changent. Ici aussi, la durée des cycles peut être influencée par l'endroit où le bébé dort et la méthode utilisée pour activer le mode sommeil. Il a encore besoin de dormir de 13 à 15 heures par jour.

Cycles du sommeil

Au cours des premiers mois, les cycles du sommeil du bébé diffèrent de ceux de l'adulte. En effet, le bébé commence par le sommeil paradoxal, avant de plonger dans le sommeil lent. Après quelques mois, le système s'inverse : le sommeil lent précède le sommeil paradoxal. Familiarisez-vous avec ces notions, afin de mieux comprendre le fonctionnement du bébé.

Sommeil paradoxal : le bébé commence par une phase de sommeil paradoxal très léger, pendant laquelle ses mains, son visage et ses pieds peuvent bouger. Il est possible que le bébé ait l'air surpris. Tous ces signes indiquent un bon fonctionnement du mode sommeil.

Sommeil lent : durant cette phase, on distingue trois cycles.

- Sommeil léger : il n'y a pas de mouvement des yeux, les membres du bébé paraissent « légers » lorsque vous les soulevez.
- Sommeil profond : la respiration se fait plus profonde et plus lente, les membres et le corps semblent plus lourds. Le bébé paraît presque totalement détendu.
- Sommeil très profond : le corps et les membres paraissent extrêmement lourds. Le bébé ne réagit pas lorsque vous essayez de le réveiller.

Applications avancées : test du cycle du sommeil

Pour déterminer si vous pouvez coucher un bébé qui s'est endormi dans vos bras sans le réveiller, suivez la procédure suivante :

[1] Saisissez son bras entre votre pouce et votre index.

[2] Soulevez doucement son bras de 5 cm.

[3] Laissez-le retomber.

Si le bras retombe sans que le bébé ne bouge, c'est que le mode sommeil profond ou très profond est activé. Dans ce cas, vous pouvez le coucher sans incident. En revanche, s'il bouge, c'est qu'il est en mode sommeil paradoxal ou sommeil léger. En le couchant, vous risqueriez de le réveiller.

Tableau de sommeil

Ces tableaux servent à identifier le rythme de sommeil du bébé pour éventuellement le modifier et le reprogrammer. Le tableau ci-contre propose un schéma classique, sur une semaine, recopiez la grille pour y noter le fonctionnement de votre propre modèle, au cours des premiers mois de mise en service.

[1] Lorsque le bébé passe en mode sommeil, notez l'heure de début. Il est d'ailleurs fortement conseillé à l'utilisateur de mettre à profit cette période pour dormir lui-même.

[2] Lorsque le bébé quitte le mode sommeil, notez l'heure de fin.

[3] Coloriez l'espace entre les deux repères, au crayon à papier ou au stylo.

Ce tableau permet d'identifier les habitudes du bébé sur une semaine. Utilisez plusieurs tableaux pour étudier ses habitudes au fil des mois. Notez si l'heure d'activation du mode sommeil reste la même (à peu de choses près) tous les jours. Si un jour le schéma diffère du rythme habituel, notez les événements inhabituels qui se sont produits.

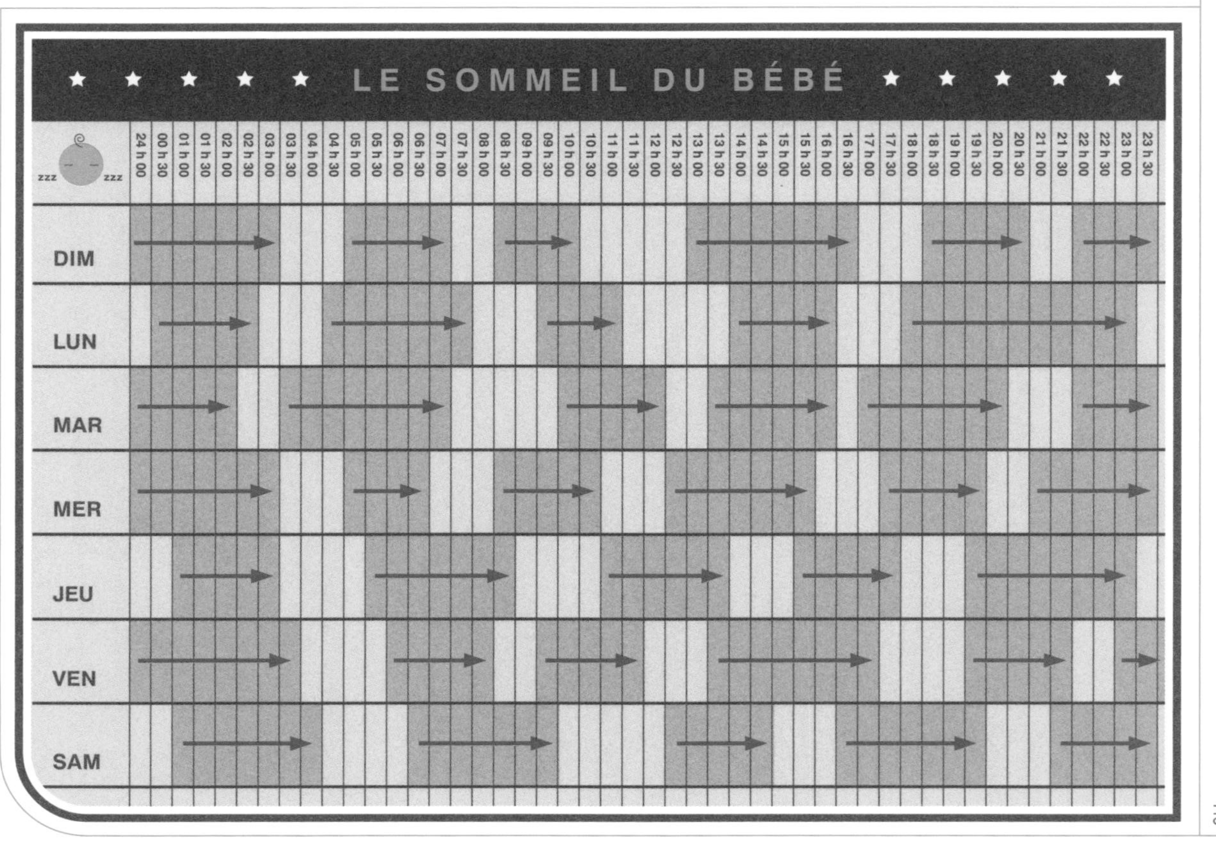
LE SOMMEIL DU BÉBÉ
zzz
zzz
24 h 00
00 h 30
01 h 00
01 h 30
02 h 00
02 h 30
03 h 00
03 h 30
04 h 00
04 h 30
05 h 00
05 h 30
06 h 00
06 h 30
07 h 00
07 h 30
08 h 00
08 h 30
09 h 00
09 h 30
10 h 00
10 h 30
11 h 00
11 h 30
12 h 00
12 h 30
13 h 00
13 h 30
14 h 00
14 h 30
15 h 00
15 h 30
16 h 00
16 h 30
17 h 00
17 h 30
18 h 00
18 h 30
19 h 00
19 h 30
20 h 00
20 h 30
21 h 00
21 h 30
22 h 00
22 h 30
23 h 00
23 h 30
DIM
LUN
MAR
MER
JEU
VEN
SAM

Activation du mode sommeil

Certains modèles sont livrés avec des fonctionnalités préinstallées, indiquant à l'utilisateur que le bébé est prêt à passer en mode sommeil. C'est le cas du bébé qui se frotte les yeux. Si votre modèle émet des signaux de ce type, passez-le rapidement en mode sommeil. Si vous tardez trop, le bébé risquerait d'être excessivement stimulé (voir p. 123), ce qui reportera son endormissement. On distingue deux grandes techniques pour activer le mode sommeil : la méthode sans pleurs et la méthode avec pleurs.

Méthode sans pleurs (ou presque)

Cette méthode, qui repose sur une stimulation constante pendant la journée et une activité réduite la nuit, demande davantage d'efforts que les deux méthodes avec pleurs.

[1] Occupez-vous du bébé pendant la journée et stimulez-le. Transportez-le dans un porte-bébé. Jouez avec lui, chantez-lui des chansons.

[2] Fixez un horaire régulier pour le coucher et respectez-le.

[3] Instaurez un moment de calme avant le coucher. Donnez-lui à manger, baignez-le, bercez-le ou lisez-lui une histoire.

[4] Préparez-le à s'endormir, en utilisant l'une des techniques suivantes :

- Donnez-lui à manger juste avant de le coucher. Si vous le laissez s'endormir après le repas, le bébé associera les repas au sommeil.
- Demandez à l'utilisateur non allaitant de coucher le bébé. Comme le bébé sent l'odeur du lait maternel, il risque d'avoir plus envie de téter que de dormir si c'est maman qui le couche.

- Faites un câlin au bébé et bercez-le pour l'endormir. Dans vos bras, il se sentira plus en sécurité que tout seul dans son lit.

[5] Choisissez un de ces procédés pour empêcher le bébé de se réveiller la nuit :

- Allez le voir dès les premiers signes de réveil. Votre présence suffira peut-être.
- Emmaillotez-le (voir p. 50). Le sentiment de sécurité que procure l'emmaillotement peut l'aider à se rendormir.
- Installez-le dans une balancelle. Le mouvement l'aidera à se rendormir.
- Changez-le de position. Peut-être n'était-il pas à l'aise. Installé dans une nouvelle position, il arrivera sans doute à se rendormir.
- Gardez une main posée sur lui jusqu'à ce qu'il se rendorme : c'est agréable et cela lui tient chaud.
- Donnez-lui à manger pour le rendormir. Le lait et la tétée peuvent détendre le bébé, ce qui facilite son endormissement.

Méthode avec pleurs (variante A)

Cette méthode permet un peu plus d'interactions parentales pendant la nuit. Ne l'utilisez pas avant le quatrième mois du bébé. Assurez-vous d'abord que sa couche est propre, qu'il n'a pas faim et qu'il n'est pas malade.

[1] Instaurez un rituel du coucher, un moment calme indiquant au bébé qu'il est l'heure de dormir, comme un bain, une histoire ou une chanson.

[2] Amenez le bébé dans sa chambre et couchez-le bien dans son lit.

[3] Bordez-le et dites-lui bonne nuit.

[4] Allumez la veilleuse et éteignez les lumières.

[5] Quittez la pièce et fermez la porte. Si le bébé pleure, attendez cinq minutes avant d'aller le voir. Beaucoup de modèles se calment tout seuls et s'endorment en cinq minutes. Si ce n'est pas le cas, passez à l'étape suivante.

[6] Retournez le voir, sans le prendre dans vos bras ni lui donner à manger. Parlez-lui doucement. Au bout d'une minute, repartez.

[7] Répétez les étapes 5 et 6, en espaçant vos visites (chaque fois, attendez 5 minutes de plus avant d'aller le voir). Le bébé finira par s'endormir.

[8] Le soir suivant, attendez 10 minutes avant d'aller le voir la première fois. Le lendemain, attendez 15 minutes avant d'y aller. Chaque jour, ajoutez 5 minutes. En trois à sept jours, le bébé aura sans doute appris à passer en mode sommeil seul.

Méthode avec pleurs (variante B)

Cette méthode est destinée à apprendre au bébé à activer le mode sommeil de manière autonome. Ne la mettez pas en pratique avant le quatrième mois du bébé. Assurez-vous d'abord que sa couche est propre, qu'il n'a pas faim et qu'il n'est pas malade.

[1] Instaurez un rituel du coucher, un moment calme qui indique au bébé qu'il est l'heure de dormir : un bain, une histoire, une chanson ou un câlin.

[2] Amenez le bébé dans sa chambre et couchez-le bien dans son lit.

[3] Bordez-le et dites-lui bonne nuit.

[4] Allumez la veilleuse et éteignez les lumières.

[5] Quittez la pièce et fermez la porte. Laissez l'écoute-bébé allumé pour pouvoir l'entendre. Ne retournez pas le voir avant le lendemain matin. Il est possible que le bébé pleure longtemps. L'espace dans lequel il se trouve a été configuré conformément aux procédures : il est donc en sécurité. Il finira par s'endormir. Au bout de plusieurs nuits, il comprendra que ses pleurs ne vous font pas revenir.

Reprogrammer un bébé qui dort pendant la journée pour activer la fonction sommeil de nuit

Les bébés n'étant pas équipés en série d'un dispositif permettant de distinguer le jour et la nuit, il est possible que votre modèle dorme plus pendant la journée que la nuit. Avec un peu de patience et en respectant les conseils suivants, vous parviendrez à le reprogrammer.

[1] Créez des ambiances très différentes pendant la journée et la nuit. Le jour, ouvrez les volets, allumez les lumières et créez de l'animation dans la maison, avec de la musique et du mouvement. La nuit, les volets seront fermés, les lumières tamisées ou éteintes, la maison calme. Le bébé préférera l'animation de la journée et ajustera ses paramètres internes en conséquence.

[2] Si vous devez changer la couche ou les vêtements du bébé pendant la nuit, faites-le rapidement et en silence. Parlez-lui le moins possible.

[3] Si le bébé dort longtemps en fin d'après-midi ou en début de soirée, changez son rythme. Réveillez-le pour lui donner à manger et maintenez-le éveillé. Cette période de sommeil prolongée se reportera tout naturellement sur la nuit.

Activation du sommeil hors de la chambre à coucher

Les poussettes et les voitures se révèlent extrêmement pratiques pour passer le bébé en mode sommeil. Voici la procédure à suivre.

En poussette

[1] Le bébé doit avoir bien chaud. Assurez-vous qu'il est suffisamment habillé pour sortir. S'il fait froid, couvrez-le avec une couverture.

[2] Assombrissez l'environnement du bébé. Rabattez la capote si la poussette en est équipée. Couvrez la poussette avec une couverture. Si l'opération provoque des pleurs, relevez la couverture sur un côté.

[3] Promenez-vous dans un environnement calme.

[4] Vérifiez régulièrement que le bébé est toujours en mode sommeil.

[5] Continuez la promenade ou rentrez chez vous : dans ce cas, rentrez la poussette dans la maison et laissez le bébé y terminer sa sieste.

En voiture

[1] Attachez le bébé dans son siège-auto.

[2] Fixez des serviettes sur les vitres pour empêcher le soleil de passer, ou installez des pare-soleil qui se fixent sur les vitres avec des ventouses. Vous trouverez ces dispositifs chez les fournisseurs d'accessoires pour bébé.

⚠ ***ATTENTION** : Les serviettes et les pare-soleil ne doivent pas entraver la visibilité du conducteur.*

[3] Choisissez attentivement votre itinéraire. Ne roulez pas dans une direction où le bébé a le soleil dans les yeux.

[4] Passez de la musique calme.

[5] Observez le bébé. Certains modèles apprécient les routes bien lisses, d'autres préfèrent les itinéraires plus cahoteux. Adaptez votre itinéraire en conséquence.

Réveils de nuit

Si le bébé se réveille en pleine nuit, cela peut avoir plusieurs explications. À la livraison, un type de pleurs par problème est préprogrammé, sur tous les modèles. L'utilisateur devra apprendre à les décrypter (voir p. 48).

Lorsqu'un bébé se réveille en pleine nuit, les raisons les plus courantes sont la faim, une couche sale ou un changement dans le déroulement de la journée. Commencez par exclure ces trois possibilités. Si vous avez du mal à déterminer l'origine du réveil, envisagez les pistes suivantes.

Poussée de croissance : la plupart des modèles connaissent une poussée de croissance (soit un accroissement subit de la masse corporelle) dès le 10e jour, puis à 3 semaines, 6 semaines, 3 mois et 6 mois. Pendant ces poussées qui peuvent durer jusqu'à 72 heures, il est possible que le bébé soit agité pendant la nuit. Essentielles pour le bon développement du bébé, ces poussées ne peuvent être désactivées par l'utilisateur. Donnez à manger au bébé puis réactivez le mode sommeil.

Acquisition d'une nouvelle compétence : après avoir appris à s'asseoir, à marcher à quatre pattes ou à marcher, il est possible que le bébé se réveille plusieurs fois dans la nuit, pour mettre en œuvre ses nouvelles compétences.

Raison de santé : les symptômes de différentes maladies (fièvre, toux, nez bouché, etc.) peuvent interférer sur le cycle du sommeil du bébé. D'autres événements comme des poussées dentaires peuvent perturber le sommeil. Il s'agit de bogues qui ne peuvent être supprimés par l'utilisateur – réconfortez le bébé et traitez le problème de votre mieux. Consultez le chargé de maintenance du bébé pour savoir si vous pouvez lui administrer un médicament apaisant pour la nuit, pour le passer en mode sommeil.

Objets transitionnels

Ces accessoires aident le bébé à se réconforter et à passer en mode sommeil de manière autonome. Les objets transitionnels, ou doudous, qui prennent généralement la forme d'un lange en tissu ou d'une petite peluche, peuvent faire office de substitut de parent lorsque le bébé est stressé. Beaucoup d'utilisateurs donnent un nom à l'objet transitionnel.

⚠ *ATTENTION : Pour le très jeune enfant, le doudou peut présenter un risque d'étouffement. N'en donnez pas à votre bébé avant qu'il ne sache parfaitement se retourner tout seul.*

[1] Présentez plusieurs objets transitionnels au bébé pendant la journée.

[2] Le soir, placez tous ces objets dans son lit. Le bébé jettera son dévolu sur un ou deux d'entre eux, avec lequel il dormira ou qu'il attrapera lorsque vous le sortirez du lit.

[3] Une fois l'objet transitionnel-fétiche identifié, donnez-le au bébé lors des préparatifs du coucher. Ainsi, il associera doudou et coucher. L'objet signalera au bébé qu'il est temps de se préparer à rester tout seul.

PAROLE D'EXPERT : *Si vous utilisez des tétines pour calmer le bébé, vous pouvez en mettre plusieurs (cinq au maximum) à différents endroits de son lit. Ainsi, s'il se réveille en pleine nuit, il en apercevra peut-être une, qu'il attrapera pour se rendormir tout seul.*

[4] Donnez l'objet transitionnel au bébé pendant qu'il mange. Laissez le doudou s'imprégner de votre odeur. Certains utilisateurs mettent même un peu de lait maternel sur le doudou.

[5] Une fois que le bébé s'est attaché à un doudou en particulier, achetez-en un ou deux identiques, à garder en réserve.

[6] Laissez le bébé emporter l'objet transitionnel avec lui pendant la journée. Son attachement au doudou grandira, renforçant le sentiment de sécurité qu'il procure.

Comment gérer un bébé trop stimulé

Un bébé qui reste réveillé au-delà de l'heure où il devrait passer en mode sommeil risque d'être trop stimulé. Dans ce cas, il aura toutes les peines du monde à s'endormir. Si cela se produit, essayez les techniques suivantes pour activer le mode sommeil.

[1] Avant tout, évitez de trop le stimuler. Encouragez le bébé à passer en mode sommeil dès qu'il manifeste des signes de fatigue.

[2] Si le bébé a été trop stimulé, n'essayez pas de le divertir. Bannissez jouets, hochets et toute autre forme de stimulation.

[3] Allongez le bébé dans vos bras (voir p. 42). Posez une couverture légère sur lui et sur votre épaule, pour assombrir son environnement.

[4] Calmez le bébé avec un mouvement régulier : sortez faire une promenade en poussette, installez-le dans son siège-auto pour faire un tour du quartier (voir p. 120), ou prenez-le avec vous dans un fauteuil à bascule, pendant quinze minutes.

[5] Si rien ne porte ses fruits, laissez-le pleurer. Placez-le à un endroit sûr et attendez plusieurs minutes. Les pleurs permettent parfois d'évacuer l'excès d'énergie, ce qui lui permettra de passer automatiquement en mode sommeil.

Troubles du sommeil

Si le bébé se réveille régulièrement en pleine nuit sans que vous parveniez à identifier l'origine de la perturbation, il est possible qu'il souffre d'un trouble du sommeil. Sachez toutefois que ces dysfonctionnements sont rares. Parlez-en au chargé de maintenance du bébé.

Apnée du sommeil : ce problème physiologique provoque une constriction des voies respiratoires du bébé pendant qu'il dort. L'enfant est équipé d'un système intégré qui le réveille pour qu'il puisse respirer normalement. Parmi les symptômes, on compte les ronflements ou une respiration bruyante pendant le sommeil, la toux ou l'étouffement pendant le sommeil, la transpiration et des signes de confusion ou de peur au réveil. Le bébé peut également présenter des signes de privation du sommeil (voir ci-dessous).

***PAROLE D'EXPERT** : Si le bébé a des problèmes pour respirer pendant le sommeil, réveillez-le en caressant le bas de son pied avec votre doigt. Ne secouez jamais un bébé pour stimuler sa respiration.*

Manque de sommeil : si le bébé se réveille souvent pendant la nuit, il est possible qu'il manque de sommeil. Parmi les symptômes, on compte une irritabilité générale et des siestes excessivement longues en voiture et en poussette. Si vous pensez que votre bébé manque de sommeil, instaurez un rythme de sommeil plus régulier. Si cela n'apporte pas d'amélioration, consultez le chargé de maintenance pédiatrique.

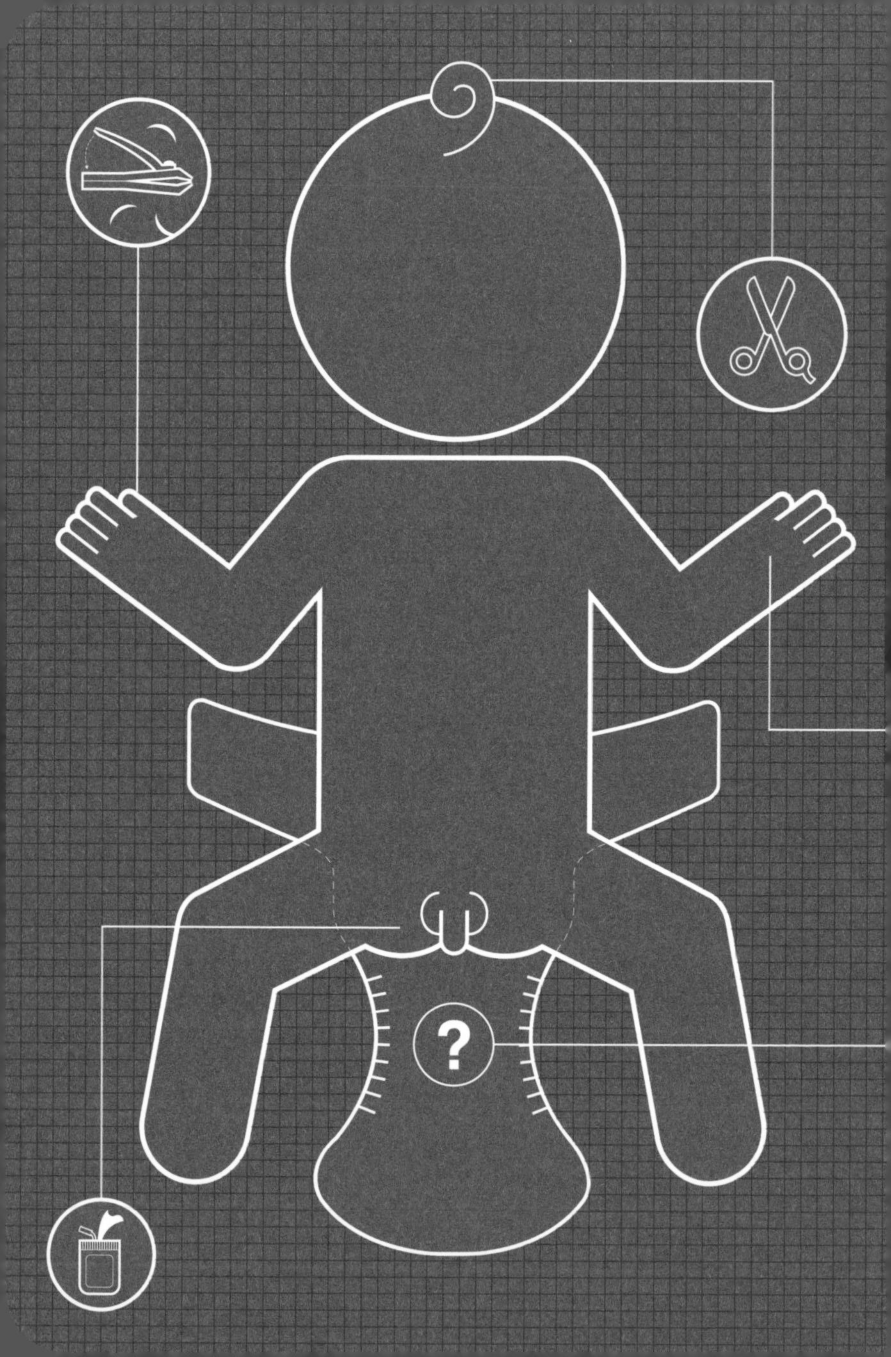

[Chapitre 5]

Maintenance Générale

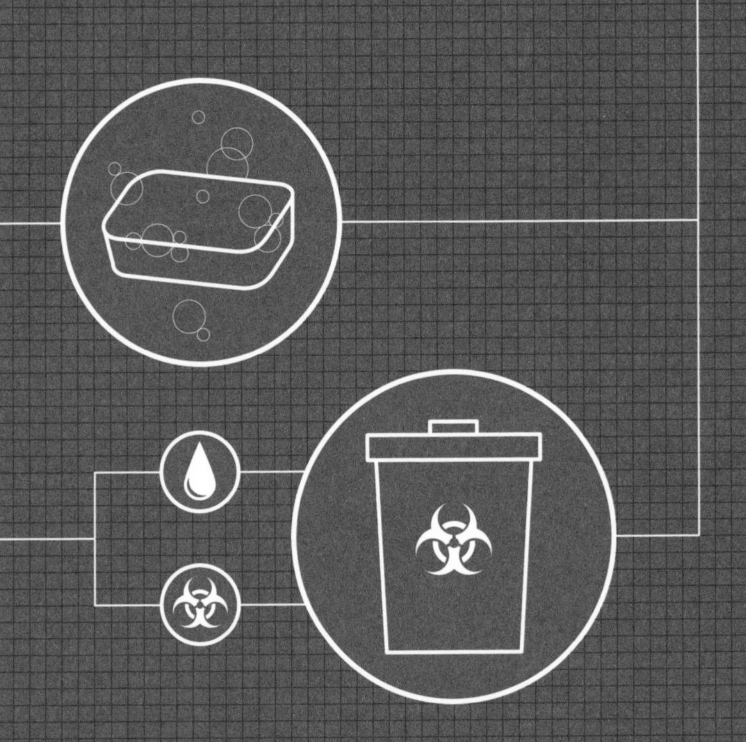

Fonctionnement et mise en place des couches

Au cours de la première année suivant la mise en service du bébé, il vous faudra changer les couches plusieurs fois par jour. Même si la procédure paraît fastidieuse, ses avantages surpassent largement ses inconvénients. La mise en place fréquente de couches est le moyen le plus efficace de prévenir l'apparition d'un érythème fessier (voir p. 135).

Installation et configuration du poste de change

Pour installer une couche, il est nécessaire d'avoir tout le matériel à portée de main. Les utilisateurs expérimentés centralisent tous ces accessoires à un emplacement généralement appelé poste de change.

Table à langer : sa surface doit se situer quelques centimètres plus haut que votre taille. Certains utilisateurs achètent cet accessoire tout prêt, d'autres posent un matelas à langer sur une commode, une étagère ou une table. Les deux approches sont possibles. Toutefois, il est plus pratique d'utiliser une table dotée de rangements pour les accessoires énumérés ci-dessous.

Couches : sachez qu'au cours du premier mois, vous installerez au moins 300 couches. Prévoyez vos stocks en conséquence. Une station de change bien approvisionnée compte au moins 12 couches d'avance.

Réceptacle à déchets : installez une poubelle de taille moyenne (avec couvercle) à côté de la station de change. Il s'agit d'un site de stockage intermédiaire, avant évacuation dans la grande poubelle. Tapissez-le d'un sac en plastique et videz-le régulièrement, pour éviter la formation d'odeurs.

PAROLE D'EXPERT : Si vous utilisez des couches en tissu, ne les lavez pas avec vos vêtements. Lavez-les à température élevée, avec un cycle de trempage, et faites deux cycles de rinçage. Utilisez une lessive adaptée aux bébés, sans substances chimiques irritantes. Les voiles assouplissants pour sèche-linge, qui contiennent eux aussi des substances irritantes, sont à proscrire.

Kit de nettoyage : prévoyez une petite bassine d'eau tiède et une demi-douzaine de gants de toilette ou des disques de coton. Beaucoup d'utilisateurs se servent de lingettes, qu'il vaut mieux éviter le premier mois. En effet, elles contiennent souvent de l'alcool, qui risque de dessécher la peau du bébé. Après le premier mois, vous pourrez en utiliser si le bébé ne présente pas d'érythème fessier.

Crèmes, lotions, pommades et vaseline : elles soignent, apaisent et hydratent la peau du bébé. Achetez-les en fonction de vos besoins et gardez-les à portée de main. La plupart des chargés de maintenance ne préconisent plus l'utilisation de talc. En effet, son inhalation en grandes quantités peut provoquer des problèmes respiratoires chez le bébé. Si vous en utilisez, mettez le talc sur vos mains – et non sur le bébé – puis massez doucement le bébé.

Vêtements de rechange : le bébé étant imprévisible, il peut émettre des déchets au moment du change, sous forme de jet ou de projectiles. Prenez vos précautions, en ayant des vêtements de rechange sous la main.

Mobile ou jouet : ces accessoires tout simples divertissent le bébé pendant la réinstallation des couches.

LE POSTE DE CHANGE

1. Plan de travail 5 à 8 cm au-dessus du niveau de la taille
2. Matelas à langer en mousse
3. Mobile d'animation
4. Stock de couches
5. Gants de toilette et bassine d'eau tiède
6. Lingettes (après un mois)
7. Crème
8. Lotion
9. Vaseline
10. Vêtements de rechange
11. Réceptacle à déchets

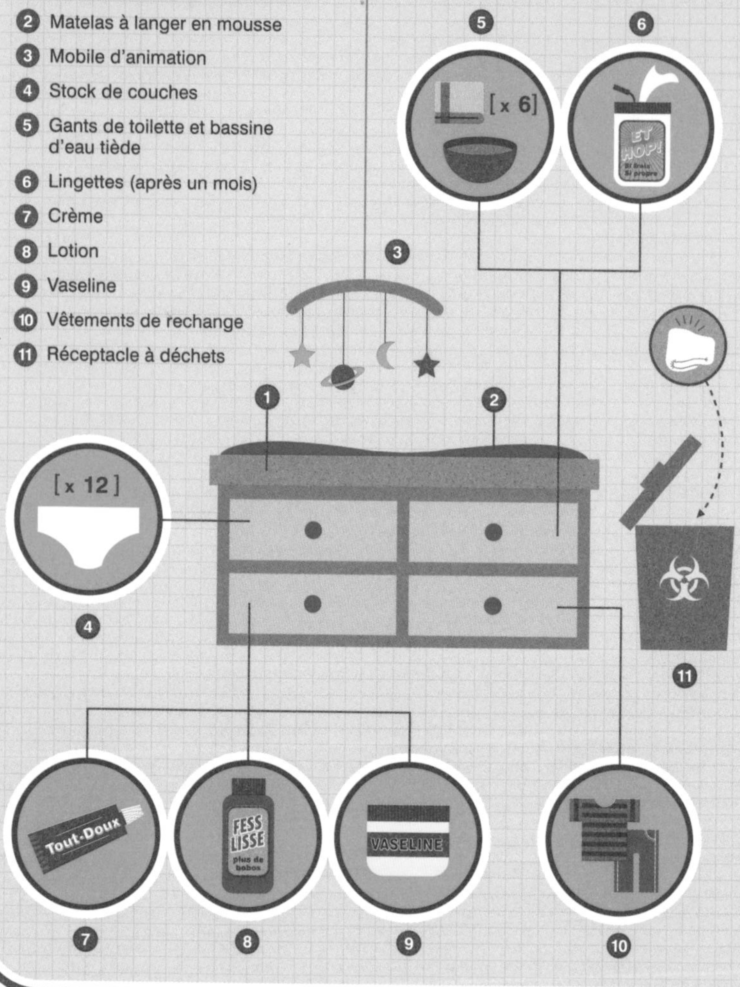

Sac à langer : il vous accompagnera lors de toutes vos sorties. Son contenu : serviette ou matelas à langer portable, couches, épingles à nourrice (pour les utilisateurs de couches en tissu), disques de coton, gants de toilette ou lingettes, Thermos d'eau chaude, vaseline, vêtements de rechange et un ou deux petits jouets. Complétez régulièrement son contenu.

Sèche-cheveux (facultatif) : un sèche-cheveux avec une fonction air froid peut servir à sécher les fesses du bébé.

Couches jetables ou couches en tissu ?

De nos jours, l'utilisateur a le choix entre des couches en tissu (lavables et réutilisables) et des couches jetables, à usage unique. L'impact de ce choix sur le fonctionnement du bébé et sur ses performances est infime, voire inexistant. Prenez votre décision en fonction de vos besoins et de votre contexte personnels. Voici les avantages des deux solutions :

COUCHES EN TISSU

- plus douces pour la peau du bébé
- moins chères que les couches jetables
- moindre production de déchets

COUCHES JETABLES

- meilleure absorption des déchets
- installation plus rapide
- pas de consommation d'eau ni de lessive
- plus faciles à transporter

Installation de la couche

Lorsque le bébé dégage une odeur désagréable ou qu'il se met à pleurer sans raison apparente, il est possible qu'une réinstallation de sa couche soit nécessaire. Avec un peu d'expérience, l'utilisateur parviendra à déterminer le statut d'une couche simplement en la palpant et en la soupesant. Une autre solution consiste à y glisser délicatement un doigt, pour jauger son humidité. Avant de retirer la couche sale, veillez à disposer de tous les accessoires nécessaires sous la main.

⚠ ***ATTENTION** : Ne laissez jamais le bébé sans surveillance sur la table à langer.*

[1] Allongez le bébé sur la table à langer et défaites les attaches de la couche.

[2] Ouvrez la couche et évaluez son contenu (fig. A). Si elle n'est que mouillée, passez directement à l'étape 6.

[3] Soulevez les jambes du bébé, pour éviter qu'elles ne se salissent. Tenez les deux pieds avec une main et soulevez-les doucement, au-dessus du ventre du bébé.

[4] Prenez un coin propre de la couche sale pour essuyer les selles sur la peau du bébé (fig. B). Essuyez d'arrière en avant chez les garçons, d'avant en arrière chez les filles (pour réduire le risque d'infections vaginales).

***PAROLE D'EXPERT** : Tout utilisateur procédant à la réinstallation des couches risque d'être aspergé par des déchets liquides. Pour minimiser ce risque, posez un gant de toilette sur le sexe du bébé.*

[5] Retirez la couche sale (fig. C).

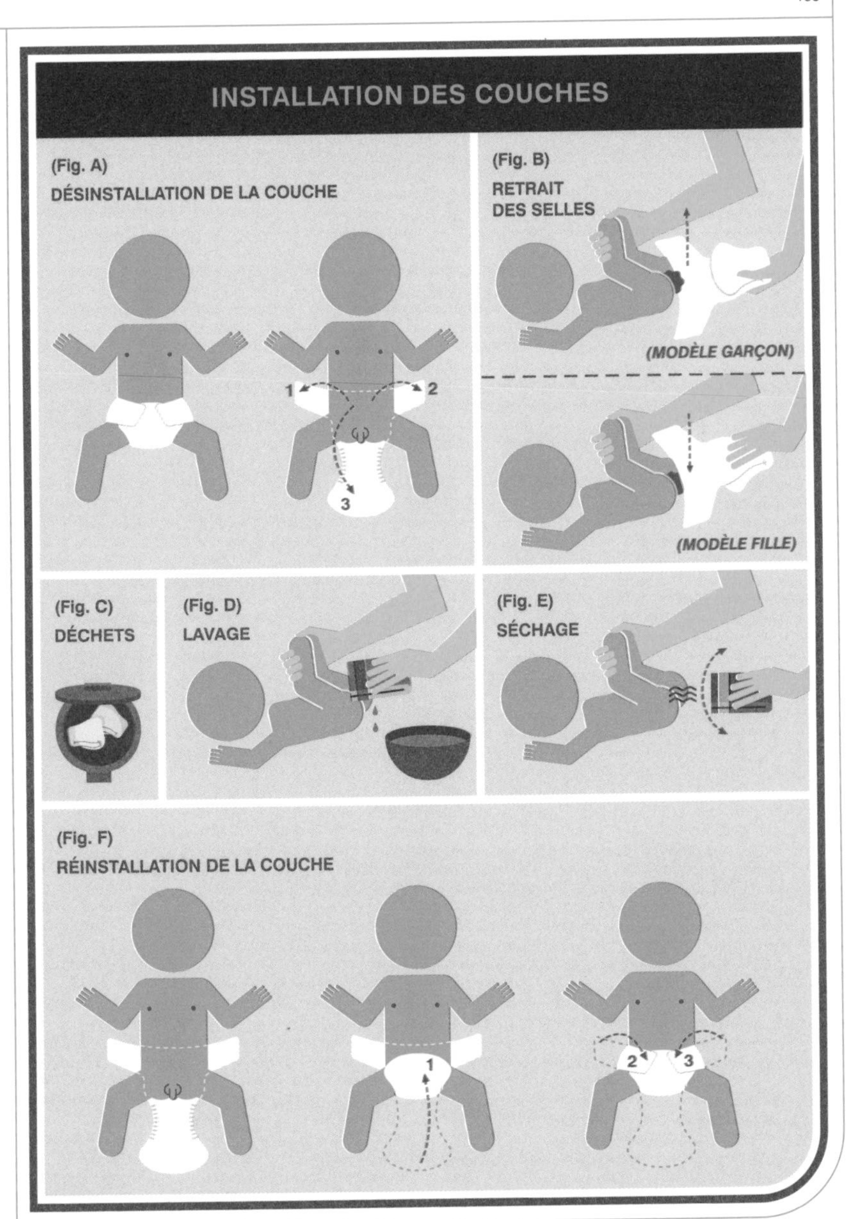
INSTALLATION DES COUCHES
(Fig. A)
DÉSINSTALLATION DE LA COUCHE
1
2
3
(Fig. B)
RETRAIT
DES SELLES
(MODÈLE GARÇON)
(MODÈLE FILLE)
(Fig. C)
DÉCHETS
(Fig. D)
LAVAGE
(Fig. E)
SÉCHAGE
(Fig. F)
RÉINSTALLATION DE LA COUCHE
1
2
3

[6] Lavez la zone avec un disque de coton ou un gant de toilette humide. Rincez et essorez le gant de toilette après chaque passage (fig. D).

[7] Séchez la zone en faisant du vent ou en la tamponnant avec une serviette (fig E). Un sèche-cheveux réglé sur « air froid » accélère le processus. Toutefois, le bruit peut perturber certains bébés.

[8] Pour installer une couche jetable, dépliez-la complètement et glissez-la sous le bébé, les attaches à l'arrière. Centrez bien le bébé sur la couche. Tendez l'avant de la couche sur les parties génitales et fixez la couche avec les deux attaches (fig. F). Passez à l'étape 10.

[9] Pour installer une couche en tissu, pliez le lange en triangle, la pointe vers le bas. Posez le bébé au centre. Rabattez la pointe du bas sur le bébé. Rabattez un côté et maintenez-le pendant que vous rabattez l'autre côté. Attachez la couche avec une épingle à nourrice spéciale.

[10] La couche doit bien tenir sans être trop serrée. Vous devez pouvoir glisser un ou deux doigts entre la couche et le ventre.

⚠ ***ATTENTION** : Si le cordon ombilical n'est pas encore tombé, repliez l'avant de la couche sur 3 à 5 cm, avant de la refermer. La couche ne doit pas couvrir le cordon.*

VARIANTES SELON LE TYPE DE MODÈLE

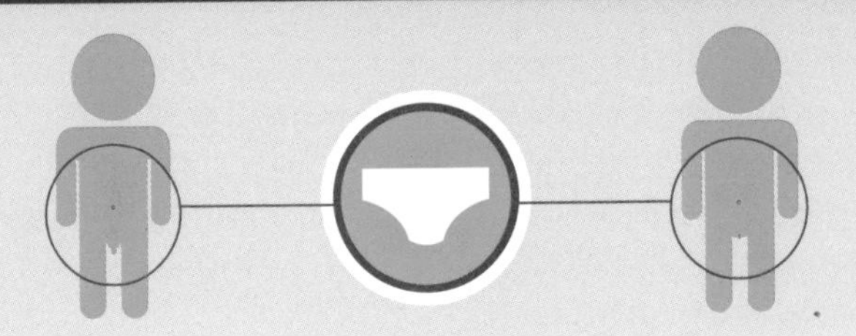

GARÇON

- **Placez toujours le pénis vers le bas avant de fermer la couche.**
- **Si le bébé a été circoncis, étalez de la vaseline sur les parties de la couche susceptibles d'être en contact avec le pénis. Si le bébé n'est pas circoncis, ne le décalottez pas en le lavant.**

FILLE

- **N'écartez jamais les lèvres de la vulve pour faire la toilette.**
- **Vérifiez soigneusement qu'il n'y a pas de résidus sur le pourtour extérieur du vagin.**

Érythème fessier : comment le soigner

Cette irritation peut toucher toutes les zones du bébé qui sont en contact avec la couche, c'est-à-dire les fesses, les parties génitales, le bas de l'abdomen et les cuisses. La forme la plus courante est l'érythème de contact, qui provoque des rougeurs et des petites bulles. Il survient généralement lorsque le bébé garde longtemps une couche mouillée.

La meilleure solution reste la prévention. Changez souvent la couche du bébé, surtout lorsqu'il est réveillé, et dès que vous constatez qu'il a eu une selle. Réduisez au maximum tout contact du bébé avec les déchets. Traité avec

les méthodes décrites ci-dessous, l'érythème devrait disparaître en trois à cinq jours. S'il persiste, contactez le chargé de maintenance du bébé.

[1] Avant d'installer une nouvelle couche, lavez le siège avec un gant de toilette et de l'eau tiède. L'alcool et les lotions contenus dans certaines lingettes peuvent accentuer l'érythème.

[2] Nettoyez la zone en la tamponnant doucement. En essuyant trop la peau, vous risquez d'aggraver l'érythème.

[3] Laissez sécher à l'air ou servez-vous d'un sèche-cheveux en position « air froid » pour accélérer le processus. Ne tamponnez pas la peau pour la sécher et n'installez pas une nouvelle couche avant qu'elle ne soit bien sèche.

[4] Si l'érythème persiste, appliquez une crème cicatrisante spéciale sur les zones touchées. Appliquez de la vaseline sur la zone traitée, vous empêcherez ainsi la peau de se mouiller et vous éviterez que la couche n'enlève la crème par frottement.

[5] Si la zone présente des petites bulles, il est possible que l'érythème soit d'origine bactérienne. Consultez le chargé de maintenance du bébé.

[6] Si la zone est entourée de petits points rouges, il est possible que l'érythème soit dû à une mycose. Consultez le chargé de maintenance.

Surveillance des déchets

Il n'est pas rare que les utilisateurs manifestent un vif intérêt pour cette fonctionnalité du bébé, dont ils consignent le bon fonctionnement dans un tableau. Cette information pourra être utile au chargé de maintenance du bébé, notamment en cas de diarrhée ou de constipation.

Fonctionnement de la vessie

Il varie d'un bébé à l'autre, mais la plupart des modèles urinent entre quatre et quinze fois par jour. Si le bébé produit moins de quatre couches mouillées par jour, il est possible qu'il soit malade ou déshydraté. Contactez son chargé de maintenance.

Pour surveiller le bon fonctionnement de la vessie du bébé, comptabilisez chaque couche mouillée comme un fonctionnement de vessie, même si le bébé a fait deux ou trois fois dans la même couche. Tracez un trait dans la case correspondante.

Le tableau de la page suivante présente un schéma de fonctionnement classique, recopiez-le pour y noter le fonctionnement de votre propre modèle.

***PAROLE D'EXPERT** : Beaucoup de couches jetables sont si absorbantes qu'il est difficile de déterminer si elles sont mouillées. Vous pouvez y appliquer une compresse, qui vous aidera à voir si la couche est humide.*

Fonctionnement des intestins

Les trois principaux paramètres à surveiller sont la fréquence, la couleur et la consistance de la production intestinale. Celle d'un bébé en bonne santé ressemblera au schéma suivant, avec différentes variantes possibles.

Fonctionnement de la vessie

Nom du bébé ______________________

JOUR	DATE	NOMBRE DE PRODUCTIONS
LUN	21/12	𝍸 ||
MAR	22/12	𝍸 ||
MER	23/12	𝍸 ||||
JEU	24/12	𝍸 |||
VEN	25/12	𝍸 ||||
SAM	26/12	𝍸 |||
DIM	27/12	𝍸 ||

Fonctionnement des intestins

Nom du bébé

DATE	HEURE	COULEUR	CONSISTANCE	ÉMISSION
21/12	10 h 15	jaune	mou	☒ facile ○ difficile
22/12	1 h 30	vert	granuleux	☒ facile ○ difficile
23/12	3 h	marron	épais	○ facile ☒ difficile
24/12	18 h	jaune	granuleux	☒ facile ○ difficile
25/12	20 h	marron	épais	○ facile ☒ difficile
26/12	11 h	jaune	granuleux	☒ facile ○ difficile
27/12	2 h	vert	épais	○ facile ☒ difficile
				○ facile ○ difficile
				○ facile ○ difficile
				○ facile ○ difficile
				○ facile ○ difficile
				○ facile ○ difficile
				○ facile ○ difficile
				○ facile ○ difficile

Fréquence : le bébé peut avoir huit selles par jour ou une seule tous les trois jours. Les bébés nourris au sein ont généralement des selles plus fréquentes que ceux nourris au biberon : en effet, le lait maternel peut avoir un effet laxatif.

Couleur : la première semaine, le bébé émet du méconium, qui est du liquide amniotique digéré. Cette substance vert-noir, préinstallée dans les intestins, doit être expulsée avant que la digestion normale ne commence. Ensuite, les selles deviendront plus vertes, puis jaune moutarde (pour les bébés nourris au sein) ou marron clair (pour les bébés nourris au biberon). Lorsque le bébé commencera à manger des aliments solides, le contenu de ses couches variera en fonction des produits consommés.

Consistance : le méconium est épais et visqueux. Les bébés nourris au sein ont des selles assez molles et granuleuses. Ceux nourris au biberon produisent des déchets légèrement plus solides, dont la consistance rappelle celle du beurre.

Le tableau de la page précédente montre un exemple de schéma classique pour le fonctionnement intestinal. Photocopiez le tableau vierge en annexe (voir p. 221) pour surveiller le fonctionnement intestinal du bébé.

Nettoyage du bébé

Pour garantir le bon fonctionnement du bébé, il est conseillé de le nettoyer après deux ou trois jours d'utilisation. Si son cordon ombilical n'est pas encore tombé, mieux vaut le laver au gant de toilette. Une fois le cordon tombé, vous pourrez laver le bébé dans une petite baignoire pour bébés, ou, quand il sera plus grand, directement dans la baignoire.

Avant de laver le bébé, assurez-vous d'avoir les accessoires suivants à portée de main (fig. A) :

- serviette sèche
- vêtements propres
- couche propre
- gants de toilette ou éponges
- petits récipients
- peigne (facultatif)
- shampooing (facultatif)

PAROLE D'EXPERT : Pour garantir le confort du bébé, il est conseillé d'augmenter la température de la pièce à 23 °C pendant la durée du bain.

Toilette au gant (fig. B)

[1] Préparez deux récipients d'eau tiède, savonneuse et non savonneuse. Utilisez un savon spécial pour bébés.

[2] Installez le bébé sur une serviette, sur une surface plane ou sur vos genoux.

[3] Ôtez ses vêtements, puis emballez le bas de son corps dans une serviette sèche. Découvrez les différentes parties de son corps au fur et à mesure de la toilette.

[4] Lavez les différentes parties du bébé, l'une après l'autre, à l'eau savonneuse.

[5] Mouillez un gant de toilette avec l'eau non savonneuse, et rincez le bébé, en faisant des mouvements rapides et doux.

[6] Enfin, lavez son visage. Tamponnez le visage du bébé avec l'eau non savonneuse. Commencez par le milieu du visage, en faisant des petits gestes doux, puis derrière les oreilles et dans tous les plis du cou.

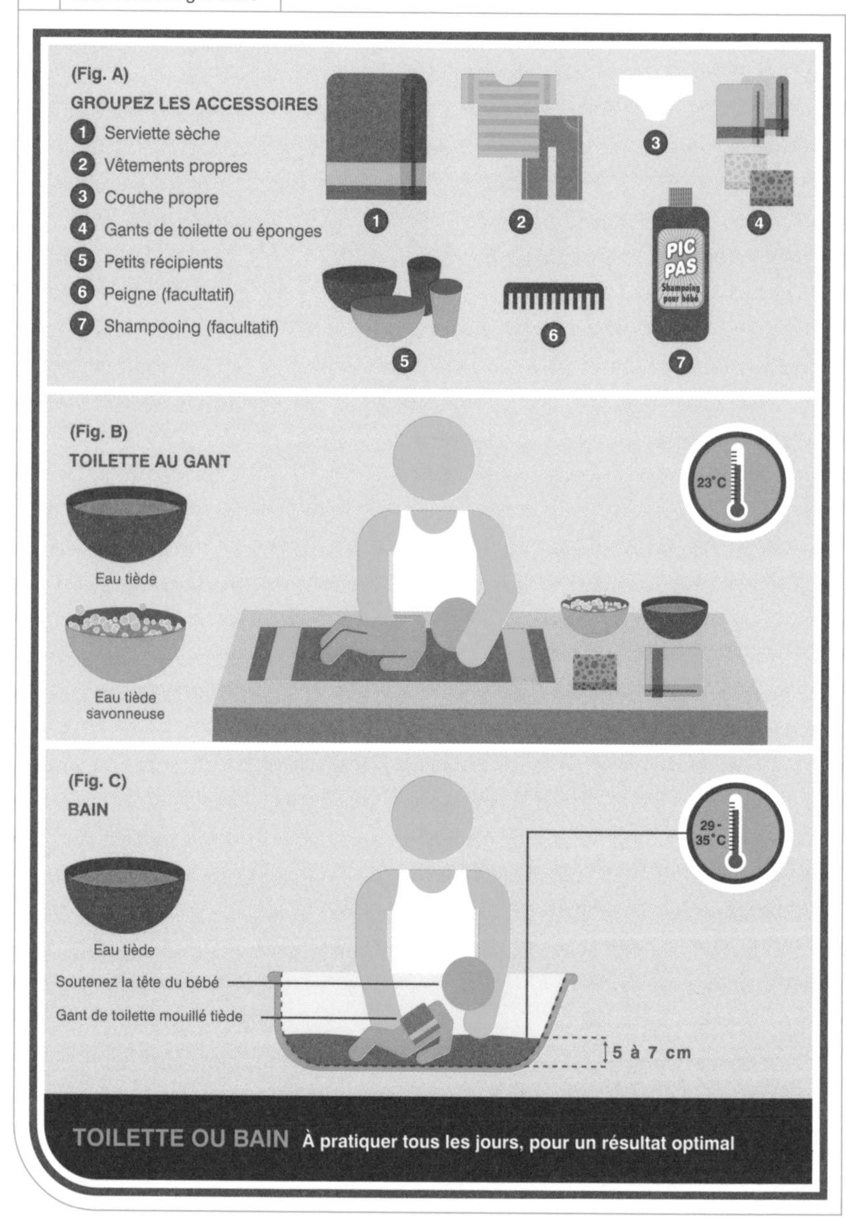
(Fig. A)
GROUPEZ LES ACCESSOIRES
1 Serviette sèche
2 Vêtements propres
3 Couche propre
4 Gants de toilette ou éponges
5 Petits récipients
6 Peigne (facultatif)
7 Shampooing (facultatif)
PIC PAS
Shampoing pour bébé
(Fig. B)
TOILETTE AU GANT
23°C
Eau tiède
Eau tiède savonneuse
(Fig. C)
BAIN
29 - 35°C
Eau tiède
Soutenez la tête du bébé
Gant de toilette mouillé tiède
5 à 7 cm
TOILETTE OU BAIN À pratiquer tous les jours, pour un résultat optimal

⚠ *ATTENTION*

- Ne lavez pas le cordon ombilical.
- Ne mouillez pas un pénis circoncis avant cicatrisation complète.
- Ne lavez pas l'intérieur de la vulve.

[7] Lavez les cheveux du bébé (voir p. 147).

[8] Enveloppez le bébé tout propre dans une serviette et séchez-le doucement en le tamponnant.

[9] Si le cordon ombilical n'est pas encore tombé, vous pouvez éventuellement badigeonner son pourtour avec un antiseptique doux pour réduire le risque d'infection (voir p. 212).

[1 0] Réinstallez une couche (voir p. 132) et habillez le bébé (voir p. 152).

Bain dans une petite baignoire (fig. C)

[1] Tapissez une petite baignoire pour bébé, une bassine ou le lavabo avec un tapis de bain ou une serviette.

⚠ *ATTENTION : Ne laissez jamais un bébé dans le bain sans surveillance. Un enfant peut se noyer dans 3 cm d'eau.*

[2] Faites couler de 5 à 7 cm d'eau tiède dans la baignoire. Vérifiez la température à l'aide d'un thermomètre : elle doit se situer entre 29 et 35 °C. Si vous n'avez pas de thermomètre, plongez votre coude dans l'eau. Si l'eau est trop chaude à votre goût, elle le sera aussi pour le bébé. Rectifiez la température et vérifiez à nouveau, aussi souvent que nécessaire.

[3] Déshabillez le bébé.

[4] Mettez le bébé dans l'eau. Soutenez sa tête, sa nuque et ses épaules avec votre main, pour les maintenir hors de l'eau.

***PAROLE D'EXPERT** : Mouillez un gant de toilette et posez-le sur la poitrine du bébé. Arrosez-le d'eau pendant le bain. Ainsi, la partie émergée du bébé restera bien au chaud pendant que vous laverez les autres parties de son corps.*

[5] Utilisez du savon spécial pour bébé et savonnez l'enfant au gant de toilette. Maintenez sa tête, sa nuque et ses épaules d'une main, tout en le lavant de l'autre.

[6] Lavez les cheveux du bébé (voir p. 147).

[7] Rincez le bébé à l'aide d'un petit récipient rempli d'eau tiède du robinet, pour enlever le reste de savon.

***ATTENTION** : Si votre chauffe-eau est mal réglé, l'eau sortant du robinet peut être bouillante. N'installez jamais le bébé dans une baignoire vide que vous remplirez ensuite. Vérifiez systématiquement la température de l'eau avant d'y plonger le bébé ou de le rincer.*

Bain dans une grande baignoire

Vers six mois, la plupart des modèles, désormais trop grands pour leur petite baignoire, seront prêts à utiliser la baignoire des grands. La mobilité accrue du bébé exige de légers ajustements de la procédure. À partir de six mois, les bébés doivent être lavés deux ou trois fois par semaine.

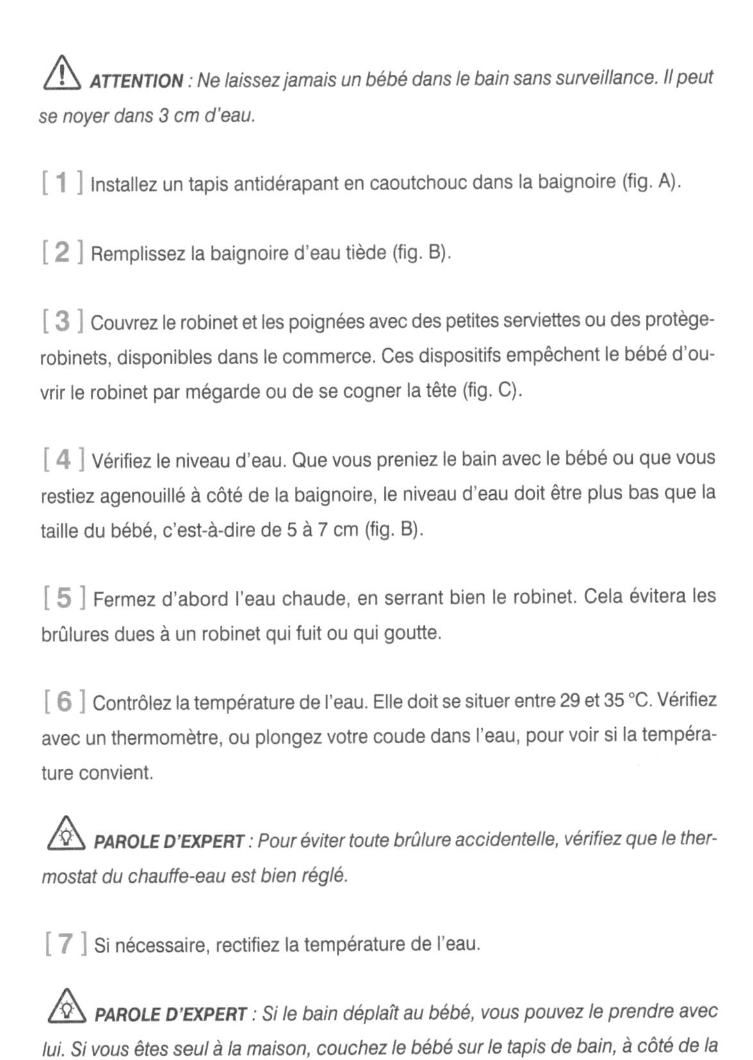

***ATTENTION** : Ne laissez jamais un bébé dans le bain sans surveillance. Il peut se noyer dans 3 cm d'eau.*

[1] Installez un tapis antidérapant en caoutchouc dans la baignoire (fig. A).

[2] Remplissez la baignoire d'eau tiède (fig. B).

[3] Couvrez le robinet et les poignées avec des petites serviettes ou des protège-robinets, disponibles dans le commerce. Ces dispositifs empêchent le bébé d'ouvrir le robinet par mégarde ou de se cogner la tête (fig. C).

[4] Vérifiez le niveau d'eau. Que vous preniez le bain avec le bébé ou que vous restiez agenouillé à côté de la baignoire, le niveau d'eau doit être plus bas que la taille du bébé, c'est-à-dire de 5 à 7 cm (fig. B).

[5] Fermez d'abord l'eau chaude, en serrant bien le robinet. Cela évitera les brûlures dues à un robinet qui fuit ou qui goutte.

[6] Contrôlez la température de l'eau. Elle doit se situer entre 29 et 35 °C. Vérifiez avec un thermomètre, ou plongez votre coude dans l'eau, pour voir si la température convient.

***PAROLE D'EXPERT** : Pour éviter toute brûlure accidentelle, vérifiez que le thermostat du chauffe-eau est bien réglé.*

[7] Si nécessaire, rectifiez la température de l'eau.

***PAROLE D'EXPERT** : Si le bain déplaît au bébé, vous pouvez le prendre avec lui. Si vous êtes seul à la maison, couchez le bébé sur le tapis de bain, à côté de la*

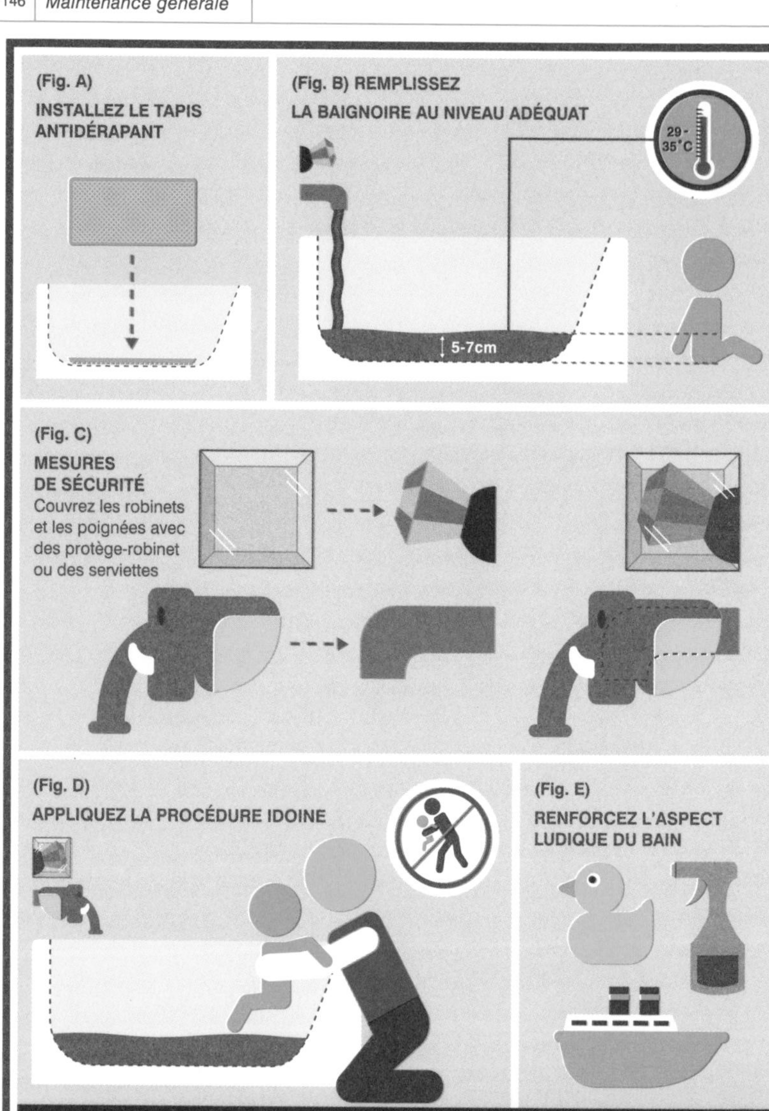
(Fig. A)
INSTALLEZ LE TAPIS ANTIDÉRAPANT
(Fig. B) REMPLISSEZ
LA BAIGNOIRE AU NIVEAU ADÉQUAT
29 - 35°C
5-7cm
(Fig. C)
MESURES DE SÉCURITÉ
Couvrez les robinets et les poignées avec des protège-robinet ou des serviettes
(Fig. D)
APPLIQUEZ LA PROCÉDURE IDOINE
(Fig. E)
RENFORCEZ L'ASPECT LUDIQUE DU BAIN

LA RÈGLE D'OR DU BAIN Sécurité, amusement, propreté.

baignoire, pendant que vous montez dans la baignoire puis prenez-le. Faites l'inverse pour sortir. Si vous êtes aidé par un autre utilisateur, demandez-lui de vous passer le bébé dans la baignoire. De même, passez-lui le bébé avant de sortir de l'eau. Ne montez jamais dans la baignoire et n'en sortez pas avec le bébé dans vos bras : une chute pourrait provoquer des blessures et des dysfonctionnements.

[8] Agenouillez-vous, puis installez doucement le bébé dans le bain, en l'asseyant (fig. D).

[9] Jouez dans l'eau avec lui avant de le laver. Il est possible que dans un premier temps, le bébé n'apprécie guère l'opération. Rendez le bain ludique, grâce à des jouets de bain qui flottent ou des jouets pour s'asperger (fig. E).

[1 0] Lavez le bébé (voir p. 143).

⚠ ***ATTENTION** : Les bébés, surtout les modèles de sexe féminin, sont sujets aux infections urinaires s'ils restent longtemps dans une baignoire d'eau savonneuse ou pleine de shampooing. Savonnez toujours l'enfant à la fin du bain.*

Shampooing

Même si votre modèle n'est pas pré-équipé de cheveux à la livraison, lavez-lui la tête tous les trois à cinq jours avec un shampooing spécial pour bébés, afin de prévenir l'apparition de croûtes de lait (voir p. 204).

[1] Mouillez la tête ou les cheveux du bébé avec de l'eau tiède du robinet.

[2] Mettez une noisette de shampooing sur sa tête et massez, pour obtenir une mousse onctueuse. N'appuyez pas sur les fontanelles (voir p. 16).

[3] Penchez le bébé vers l'arrière et rincez sa tête, à l'aide d'un gobelet rempli d'eau tiède propre. Ne faites pas couler de shampooing dans ses yeux ni dans ses oreilles.

[4] Séchez-le avec une serviette.

Toilette des oreilles, du nez et des ongles

La plupart des bébés s'opposent fermement à tout nettoyage supplémentaire après le bain, le séchage et l'habillage. Mieux vaut exécuter ces opérations à un autre moment.

Oreilles : ne faites pas couler d'eau dans les oreilles du bébé – cela peut provoquer des infections. Utilisez un coton-tige spécial pour bébés, afin de nettoyer l'excès de cérumen ou les saletés de la partie visible de l'oreille.

ATTENTION : *Ne nettoyez pas les zones que vous ne pouvez pas voir. L'introduction d'un coton-tige (ou de quoi que ce soit d'autre) dans le conduit auditif ou dans le nez risque de provoquer un dysfonctionnement.*

Nez : servez-vous d'un coton-tige spécial pour bébé (humecté avec une goutte d'eau pour ramollir les mucosités) pour nettoyer l'intérieur des narines.

Ongles : des ciseaux spéciaux pour enfant vous faciliteront la tâche. Coupez les ongles des doigts comme les vôtres, et coupez droits les ongles des orteils. Si le bébé ne se laisse pas faire, limez-lui les ongles.

PAROLE D'EXPERT : *Si le bébé ne se laisse pas faire, coupez-lui les ongles pendant qu'il dort. Cela réduit le risque de blessures.*

Nettoyage des dents du bébé

Les gencives de la plupart des modèles s'équipent de dents entre le quatrième et le douzième mois. Le bébé n'étant pas autonettoyant, l'utilisateur devra veiller à leur entretien.

Dans un premier temps, seul un tissu doux est nécessaire pour nettoyer les dents. Lorsque celles-ci deviennent plus grandes et plus nombreuses – vers dix à douze mois, l'utilisateur peut faire l'acquisition d'une brosse à dents spéciale pour bébés ou bien d'une brosse standard avec une petite tête et des poils souples. Laissez le bébé jouer avec cet accessoire et le porter à la bouche avant de nettoyer ses dents. La manœuvre lui permettra de se familiariser avec cet objet et aussi d'atténuer la douleur liée à la percée dentaire.

Nettoyage des dents

Exécutez la procédure de nettoyage deux fois par jour, sur chaque dent.

[1] Mouillez un tissu propre et doux ou un morceau de gaze avec de l'eau tiède.

[2] Pincez 2 ou 3 cm de tissu entre votre pouce et votre index.

[3] Entourez délicatement la dent avec le tissu, sans toucher à la gencive, et pincez-la doucement.

[4] Essuyez la dent en retirant le tissu.

[4] Répétez l'opération deux fois pour chaque dent.

Brossage des dents

Avant de passer au brossage des dents, demandez son feu vert au chargé de maintenance du bébé.

[1] Mouillez les soies de la brosse avec de l'eau tiède.

[2] Mettez une toute petite quantité de dentifrice pour enfant au fluor (l'équivalent d'un demi-petit pois) sur la brosse à dents. Les dentifrices pour adultes ne conviennent généralement pas aux enfants de moins de trente-six mois.

[3] Installez l'enfant sur vos genoux, face à vous, ou tenez-le face à un miroir.

[4] Glissez la brosse dans sa bouche et frottez les soies contre ses dents. Faites des mouvements circulaires, sans frotter pour ne pas blesser ses gencives.

[5] Donnez une gorgée d'eau à l'enfant pour qu'il se rince la bouche.

⚠ ***ATTENTION** : Nettoyez systématiquement les dents de l'enfant avant de le passer en mode sommeil. Le lait peut entraîner la formation de caries.*

Coupe de cheveux

Certains utilisateurs raccourcissent les cheveux de leur bébé au cours de la première année. Il est possible qu'ils ne repoussent pas immédiatement. Pas de panique : il ne s'agit pas d'un bogue. À mesure qu'il grandira, ses cheveux repousseront plus rapidement.

[1] Rassemblez les accessoires nécessaires. Outre un assistant, il vous faut une serviette, un pulvérisateur rempli d'eau, des ciseaux spéciaux pour bébé et un jouet (ou un autre objet destiné à faire diversion) (fig. A).

[2] Installez l'enfant sur les genoux de votre assistant, face à vous. Passez une serviette autour de son cou, pour le couvrir (fig. B).

[3] Humectez ses cheveux. Pour cela, protégez ses yeux avec votre main puis pulvérisez une fine bruine sur sa tête.

[4] Détournez son attention des ciseaux pour éviter qu'il n'essaie de les attraper, ce qui rendrait la procédure difficile et dangereuse. Votre assistant pourra distraire le bébé avec un miroir, une balle, une marionnette ou tout autre objet adéquat. La télévision peut elle aussi captiver le bébé, ce qui l'incitera à rester tranquille.

[5] Prenez une mèche entre votre index et votre majeur, et coupez son extrémité avec les ciseaux.

[6] Répétez la procédure, jusqu'à ce que toutes les mèches soient à la longueur souhaitée.

PAROLE D'EXPERT : *Si le bébé proteste, il est possible que vous ne puissiez mener à terme votre mission. Aussi, commencez par les mèches les plus longues.*

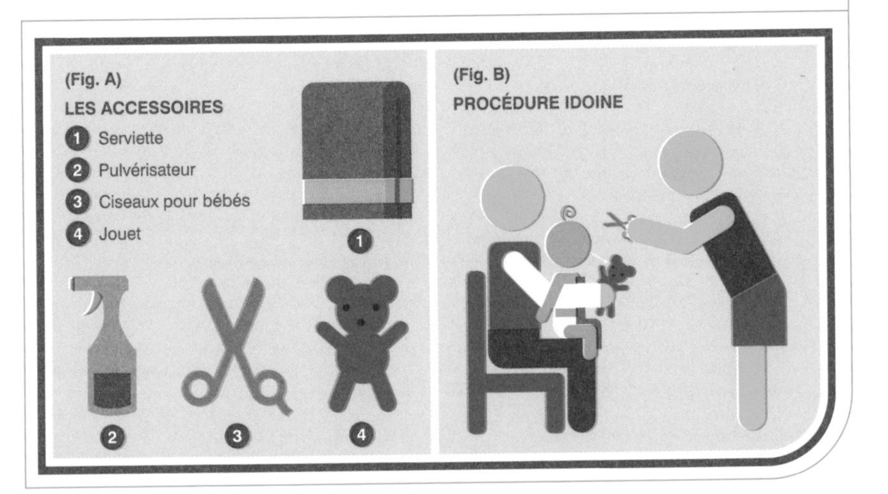

Habillage du bébé

Divers accessoires, appelés vêtements, permettent de protéger le bébé du soleil, de la pluie, des égratignures, de la poussière et d'autres dangers. Plus important, ils l'aident aussi à réguler sa température interne. Vous trouverez ces accessoires chez les fournisseurs de matériel spécialisé.

Il est essentiel de ne pas habiller le bébé trop chaudement, ce qui accroît le risque de mort subite du nourrisson (voir p. 215). Il est conseillé de chauffer la maison à 20 °C, et d'habiller le bébé avec un vêtement de plus que vous (si vous êtes à l'aise en T-shirt, mettez au bébé un T-shirt et un gilet léger). Une couverture compte pour une épaisseur supplémentaire.

[1] Pour la journée, choisissez des vêtements faciles à enlever, avec des encolures larges, des tissus extensibles, des manches larges et des pressions. Les vêtements pour la nuit doivent être plus près du corps.

[2] Allongez le bébé sur un lit ou sur la table à langer. Si la dernière couche a été installée il y a plus d'une heure, vérifiez s'il faut la changer (voir p. 132).

[3] Il est possible que le bébé oppose de la résistance. Détournez son attention. De la musique apaisante, des mobiles et des marionnettes rendent de précieux services.

[4] Écartez bien l'encolure avant de la passer sur la tête du bébé. Il est possible que sa tête soit plus grosse que les encolures, ce qui vous obligera à étirer manuellement le tissu. Il ne s'agit pas d'un défaut de conception du bébé et cela n'a aucune incidence négative sur l'apparence physique actuelle ou à venir du modèle.

[5] Glissez votre main dans une manche du vêtement jusqu'au poignet, puis saisissez l'avant-bras du bébé et faites passer délicatement la manche sur son bras.

Procédez de même avec l'autre bras. Utilisez la même procédure pour les jambes de pantalon.

[6] Pour fermer une fermeture Éclair, éloignez le tissu du bébé, pour éviter tout contact entre la fermeture et la peau.

Protection du bébé contre la chaleur et le froid

Le bébé ne doit jamais être stocké dans des conditions de froid ou de chaud extrêmes. Lorsque vous le transportez à l'extérieur, prenez les mesures suivantes pour le protéger des éléments.

Protection contre la chaleur

Le meilleur moyen d'éviter une surchauffe du système consiste à éviter le soleil direct et à ne pas trop couvrir le bébé. Mettez-lui les accessoires suivants pour le rafraîchir et limitez son exposition au soleil direct :

Vêtements en coton au tissage serré, amples et de couleurs claires : un tissage serré empêche les rayons de soleil de passer. Les vêtements amples en coton aident le bébé à régler son thermostat interne. Quant aux couleurs claires, elles n'attirent pas le soleil.

Chemise à manche longue et pantalon long : en protégeant la peau du bébé du soleil direct, vous éviterez toute élévation de sa température corporelle. Couvrez les surfaces exposées au soleil.

Chaussettes : la peau des pieds est particulièrement sensible aux coups de soleil. Dans la poussette, les pieds sont souvent plus exposés que le reste du corps. Protégez-les avec des chaussettes en coton.

Chapeau à rebord : cet accessoire protège la tête, le visage et les oreilles.

Lunettes de soleil : ce dispositif protège les yeux, particulièrement sensibles durant la première année de mise en service. Il existe des lanières permettant de maintenir les lunettes de soleil. Serrez-les bien, pour que l'enfant ne risque pas de s'étrangler.

⚠ ***ATTENTION*** *: N'utilisez pas de crème solaire écran total sur les bébés de moins de six mois, sauf si vous n'avez pas de vêtements ni de protection adéquats. Les substances chimiques contenues dans ces crèmes peuvent provoquer une réaction sur la peau sensible du bébé. Après six mois, appliquez-en en petite quantité, dès que le bébé est exposé au soleil. Vérifiez que le facteur de protection (SPF) est supérieur ou égal à 60, et que la crème est anallergique.*

Protection contre le froid

Le bébé doit porter une épaisseur de vêtement de plus que l'utilisateur. Lorsque vous le sortez dans le froid, utilisez les accessoires suivants :

Bonnet chaud : il empêche la déperdition de chaleur par la tête.

Chaussures et moufles : elles protègent les extrémités du bébé et l'aident à préserver sa température intérieure.

Manteau d'hiver : cette protection extérieure met le bébé à l'abri des précipitations gelées ou liquides.

Couverture : par grand froid, une couverture peut contribuer à maintenir le bébé bien au chaud.

PAROLE D'EXPERT *: Si vous voyagez en voiture, réchauffez l'habitacle avant d'y installer le bébé. Si le trajet dure plus de 15 minutes, enlevez son manteau : le thermostat intérieur du bébé s'adaptera automatiquement.*

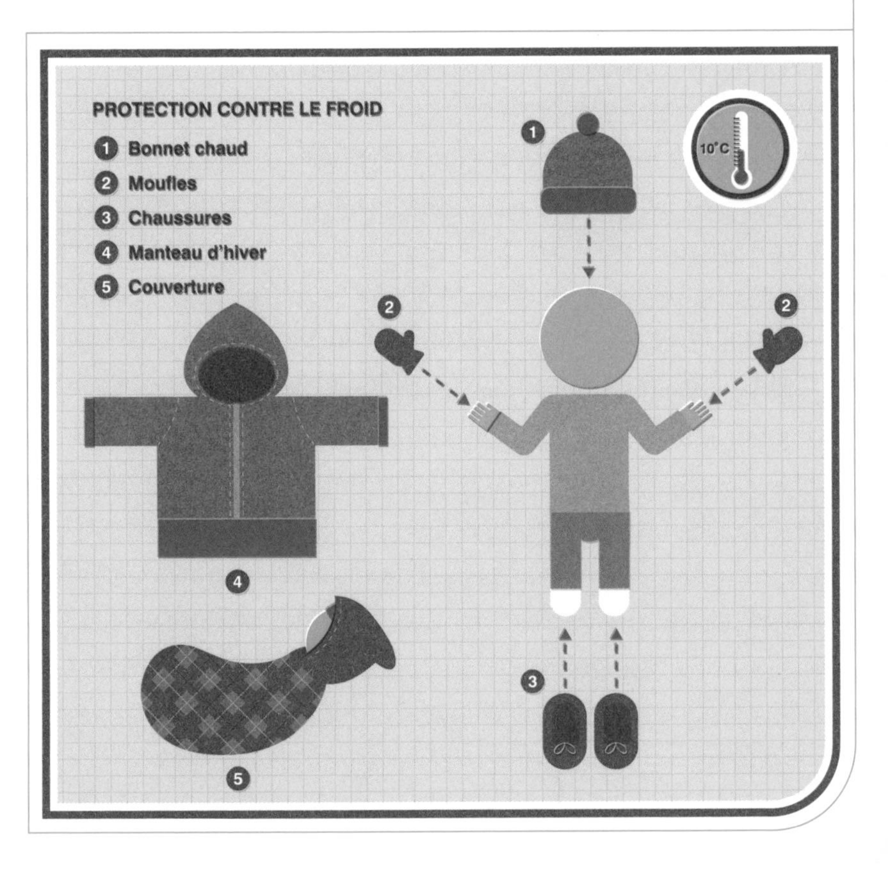

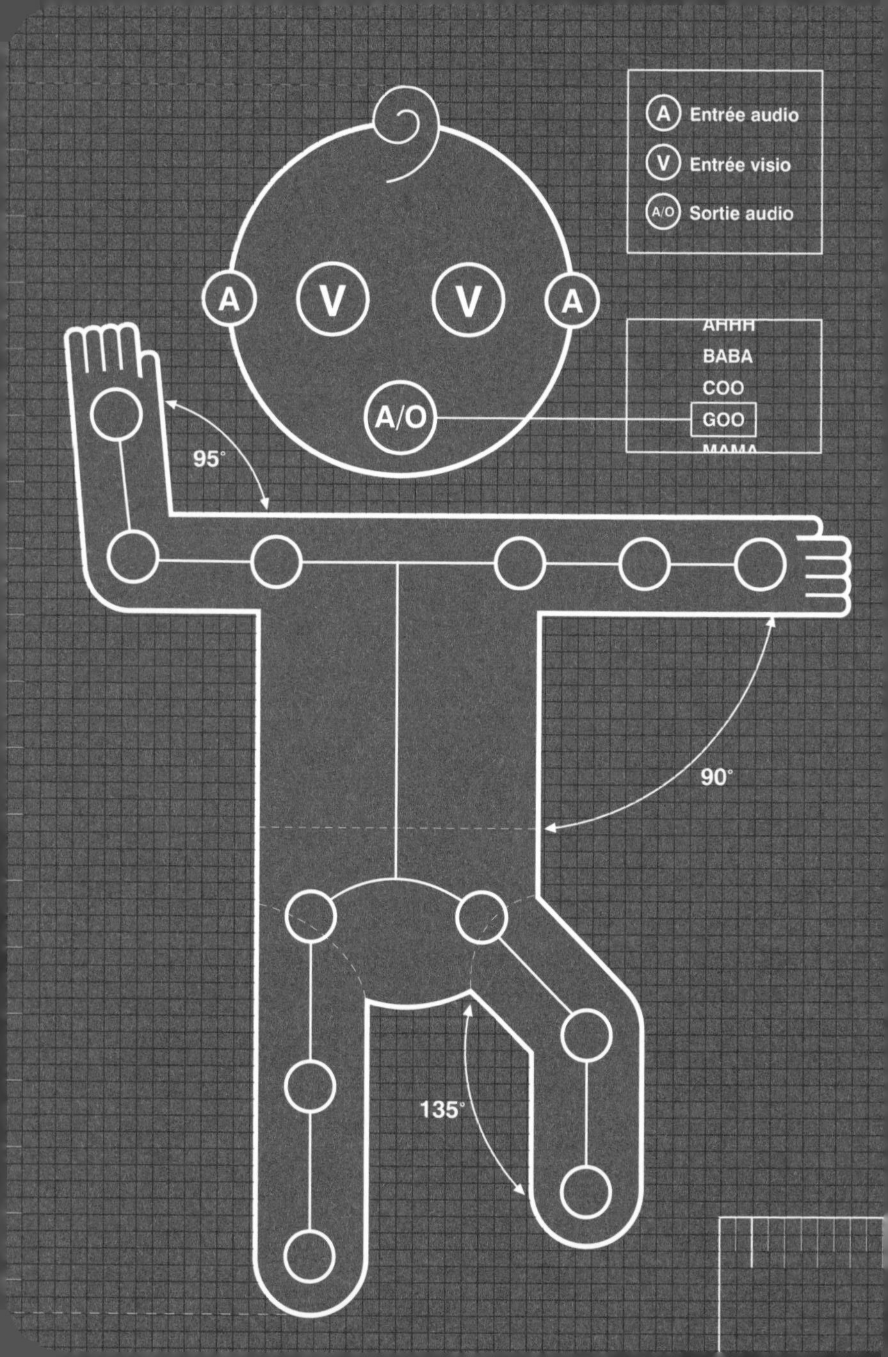

A
Entrée audio
V
Entrée visio
A/O
Sortie audio
A
V
V
A
AHHH
BABA
COO
GOO
A/O
95°
90°
135°

[Chapitre 6]

Croissance et Développement

Surveillance des applications motrices et sensorielles

Chaque modèle se développe différemment. Vous trouverez ci-dessous un guide général de ce que font nombre de bébés à un mois, un âge charnière. Si votre modèle n'a pas encore atteint ces différents jalons à un mois, il est probable qu'il le fera très rapidement. Toutefois, restez attentif pour identifier un éventuel retard de développement (voir p. 164).

Capteurs visuels (vue)

À la fin du premier mois, le bébé devrait être en mesure de voir les objets situés jusqu'à 30 cm de lui et de les suivre des yeux.

Il aimera mieux observer les visages plutôt que des objets. La plupart des modèles préfèrent les objets noir et blanc aux objets colorés. Il s'agit là de paramétrages par défaut, qui ne peuvent être modifiés par l'utilisateur. Ils changeront tout seuls, lorsque le bébé grandira.

Capteurs audio (ouïe)

À la fin du premier mois, l'ouïe du bébé est généralement arrivée à maturité. Il reconnaît les sons et se tourne en direction des voix familières. Les utilisateurs désireux d'améliorer la performance des capteurs audio de leur bébé peuvent lui passer de la musique, lui parler et lui chanter des chansons, ce qui accélère le développement paramétré par défaut.

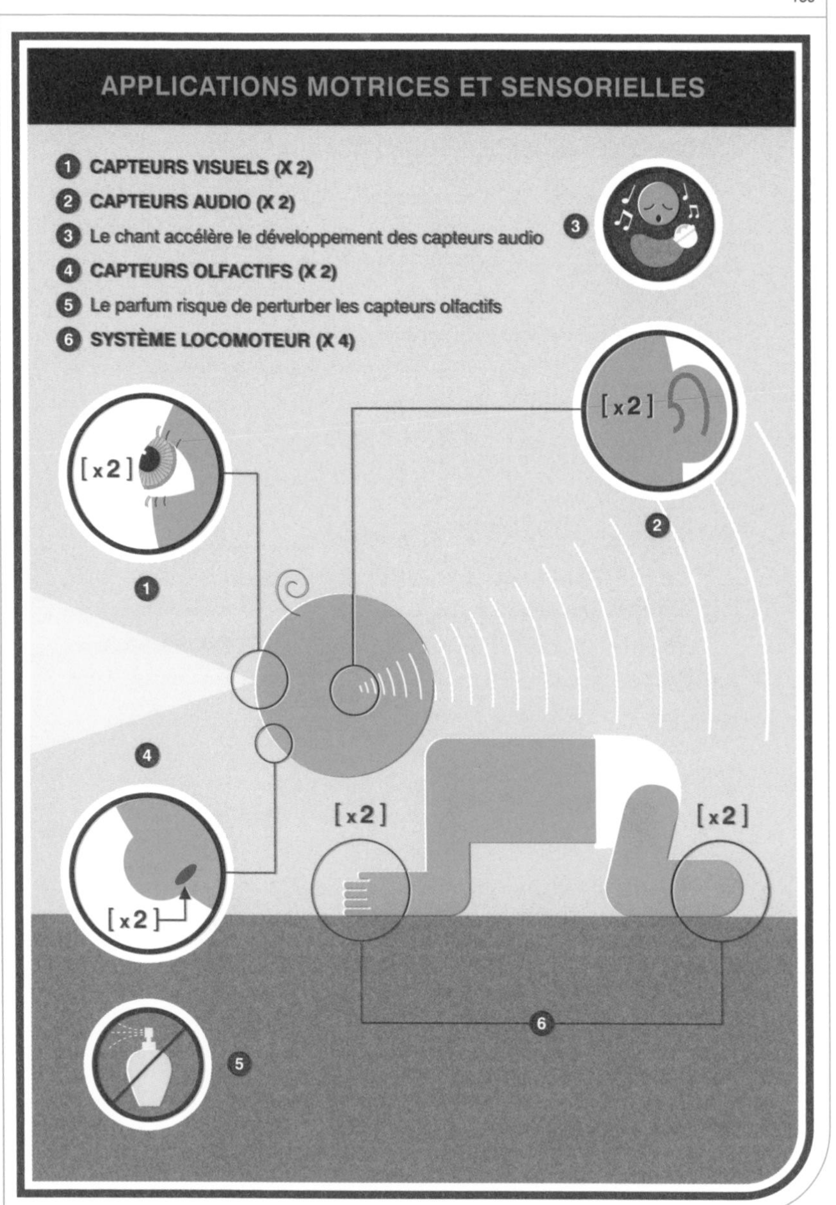
APPLICATIONS MOTRICES ET SENSORIELLES
1 CAPTEURS VISUELS (X 2)
2 CAPTEURS AUDIO (X 2)
3 Le chant accélère le développement des capteurs audio
4 CAPTEURS OLFACTIFS (X 2)
5 Le parfum risque de perturber les capteurs olfactifs
6 SYSTÈME LOCOMOTEUR (X 4)
3
[x2]
2
[x2]
1
4
[x2]
[x2]
[x2]
[x2]
6
5

Système locomoteur (mouvement)

À la fin du premier mois, tous les modèles auront constaté qu'ils sont équipés de bras, de jambes, de mains et de pieds. Le bébé commence à serrer son poing et à le porter à la bouche, et à maintenir sa tête, qui demande encore à être soutenue.

Les utilisateurs souhaitant accroître la performance du système locomoteur du bébé peuvent l'allonger sur le ventre, ce qui renforcera les muscles de sa tête et de son cou. En jouant avec les bras et les jambes du bébé, vous l'aiderez à prendre conscience de leur existence.

Capteurs olfactifs (odorat)

À la fin du premier mois, les capteurs olfactifs du bébé reconnaissent l'odeur de sa mère et celle du lait. Les utilisateurs désireux de rendre ces capteurs plus performants s'abstiendront d'utiliser du parfum, de l'eau de toilette et du savon parfumé au cours du premier mois. En effet, ces produits entravent l'aptitude du bébé à reconnaître l'odeur de l'utilisateur.

PAROLE D'EXPERT *: Il est recommandé à l'utilisateur dont le bébé n'a pas atteint certaines étapes de développement au cours du premier mois de ne pas s'inquiéter. Chaque modèle évolue à son rythme. En revanche, si le bébé ne réagit pas aux bruits forts, s'il ne bouge pas souvent ses bras et ses jambes, s'il ne suit pas les objets des yeux ou s'il ne cligne pas des yeux face à une lumière vive, parlez-en à son chargé de maintenance.*

Réflexes archaïques : comment les tester ?

À la livraison, le bébé est équipé de nombreux réflexes préinstallés, destinés à assurer sa survie et à accélérer son adaptation à son environnement. Un réflexe est un acte involontaire résultant de la transmission directe d'un stimulus à un muscle. Effectuez un diagnostic des réflexes préinstallés :

Réflexe de succion

Il aide le bébé à s'alimenter dans les premières semaines suivant sa mise en service. Vers la fin du premier mois, ce réflexe évolue généralement vers une succion plus ciblée et plus délibérée.

[1] Glissez un doigt, une tétine ou le mamelon dans la bouche du bébé.

[2] Le bébé pincera le contenu de sa bouche entre le palais et la langue, et il fera aller et venir sa langue sur cet objet, créant une succion.

Réflexe de fouissement

Ce réflexe aide le bébé à trouver à manger. Au cours des quatre premiers mois, le mouvement se fera plus précis, le bébé tournant la tête vers le sein ou le biberon.

[1] Allongez le bébé dans vos bras et caressez-lui la joue. Il doit tourner la tête en direction du stimulus, le port « bouche » grand ouvert et prêt à manger.

[2] Répétez l'opération sur l'autre joue.

Réflexe de Moro

Il pousse le bébé à écarter les bras et les jambes avant de les replier sur la poitrine. Déclenché par des bruits forts ou des mouvements soudains, ce réflexe disparaît entre quatre et six mois.

[1] Allongez le bébé sur le dos. Quand il est calme (mais pas endormi), éternuez ou toussez fort.

[2] Le bébé doit réagir aussitôt, en écartant les bras et les jambes avant de les rétracter.

⚠ ***ATTENTION** : Ne faites pas de bruits forts et effrayants simplement pour tester le réflexe de Moro. Contentez-vous d'être attentif au comportement du bébé. Si un éternuement ou la toux ne suscitent pas de réaction, peut-être un aboiement, quelqu'un qui frappe à la porte, une voix forte ou tout autre bruit susciteront-ils ce réflexe.*

Réflexes d'agrippement (mains et pieds)

Il s'agit de réflexes tactiles qui poussent le bébé à agripper avec ses mains et ses pieds. La seconde de ces fonctionnalités disparaît au bout d'un an.

[1] Passez votre doigt sur la paume ouverte du bébé. Il devrait refermer ses doigts autour du vôtre, ou essayer de le faire.

[2] Passez un doigt sur la plante de pied du bébé. Il devrait replier son pied, ou tenter de le faire.

[3] Répétez l'opération sur l'autre main et sur l'autre pied.

Réflexe de marche automatique

Il pousse le bébé à marcher sur ses deux pieds, même si ses jambes ne le portent pas encore. Pour cette manœuvre, l'utilisateur doit soutenir le bébé. La plupart des modèles avancent même vers l'utilisateur. Ce réflexe disparaît au bout de quelques mois, cédant la place, vers un an, à la station debout et à la marche.

[1] Tenez le bébé sous les aisselles, face à vous. Maintenez sa tête avec vos doigts.

[2] Installez-vous dans une chaise et soulevez le bébé, pour le mettre debout. Posez ses pieds à plat sur vos cuisses.

[3] Le bébé s'appuie sur ses pieds, comme pour soutenir son propre poids.

Réflexe asymétrique tonique du cou

Il aide le bébé à coordonner les mouvements de la tête et des bras. Ce réflexe disparaît généralement vers le sixième mois.

[1] Allongez le bébé sur le dos.

[2] Tournez doucement la tête du bébé vers la droite.

[3] Le bras droit du bébé devrait s'écarter. Il est possible que son bras gauche se replie vers sa tête.

[4] Tournez la tête du bébé vers la gauche. Son bras gauche devrait s'écarter, tandis que son bras droit se repliera vers la tête.

Réflexes de défense

Ces réflexes, qui permettent au bébé de se défendre contre des attaques réelles ou supposées, disparaissent lorsque l'enfant possède une meilleure maîtrise de ses mouvements.

[1] Allongez le bébé sur le dos.

[2] Tenez un jouet à 30 cm au-dessus de sa tête puis dirigez-le lentement vers son visage, en ligne droite.

[3] Le bébé devrait tourner la tête, d'un côté ou de l'autre.

Première année : les étapes du développement

Chaque bébé étant unique, tous les modèles n'atteignent pas les mêmes étapes de développement au même moment.

Les étapes énumérées dans les pages suivantes constituent une moyenne. Ne vous inquiétez pas si votre modèle n'a pas toutes les fonctionnalités décrites. Tout écart de la moyenne ne présage en rien, ni en bien, ni en mal, des aptitudes futures du bébé. Sachez que chaque étape est indépendante des autres : ainsi, certains modèles marchent tôt et parlent tard. Si vous avez une réelle inquiétude concernant le développement de votre bébé, consultez son chargé de maintenance.

Développement au 3e mois : les jalons

À la fin du 3e mois, la plupart des modèles :

- reconnaissent le visage et la voix de leur(s) utilisateurs(s)
- sourient lorsqu'ils le voient ou l'entendent
- commencent à s'intéresser à des formes plus complexes
- commencent à s'intéresser aux visages d'inconnus
- maîtrisent mieux les mouvements de leur tête
- dorment de plus longues périodes d'affilée
- améliorent la coordination de leurs mouvements
- tendent la main vers des objets ou attrapent des objets

SIGNAUX D'ALERTE : si l'une des affirmations suivantes s'applique au bébé après ses 90 premiers jours de fonctionnement, contactez son chargé de maintenance :

- Le bébé louche.
- Le bébé a du mal à suivre les objets des yeux.
- Le bébé ne réagit pas aux bruits forts ni à la voix de l'utilisateur.
- Le bébé ne se sert pas de ses mains, ou n'essaie pas de s'en servir.
- Le bébé a du mal à soutenir sa tête.

Développement au 6e mois : les jalons

À la fin du 6e mois, la plupart des modèles :

- sont capables de fixer des petits objets
- tournent la tête vers la source d'un bruit
- babillent et répètent des sons simples émis par l'utilisateur
- mangent moins souvent et s'entraînent à consommer des aliments solides
- jouent tout seuls durant de longues périodes sans pleurer
- mordillent souvent différents objets

■ deviennent plus autonomes dans leurs déplacements et apprennent à se retourner et à s'asseoir (avec assistance)
■ commencent à explorer le monde avec leurs mains

SIGNAUX D'ALERTE : si l'une des affirmations suivantes s'applique à votre bébé après les six premiers mois, contactez son chargé de maintenance :
■ Le bébé ne « répond » pas au babillage de l'utilisateur.
■ Le bébé n'attrape pas les objets et ne les porte pas à la bouche.
■ Le réflexe de Moro et le réflexe asymétrique tonique du cou n'ont pas disparu (voir p. 162-163).

Développement au 9e mois : les jalons

À la fin du 9e mois, la plupart des modèles :
■ cherchent des yeux un jouet sorti de leur champ de vision
■ manifestent leur contrariété lorsque vous leur dites au revoir et que vous partez
■ essaient d'imiter ce que vous dites en babillant
■ se déplacent de manière plus autonome, apprenant à marcher à quatre pattes ou à se redresser
■ commencent à manipuler des objets et à comprendre leur fonctionnement

SIGNAUX D'ALERTE : si l'une des affirmations suivantes s'applique à votre modèle après les neuf premiers mois de fonctionnement, contactez son chargé de maintenance.
■ L'un des côtés du bébé est « à la traîne » lorsqu'il rampe par terre.
■ Le bébé ne répond pas en babillant lorsque vous lui parlez.

Développement au 12e mois : les jalons

À la fin du 12e mois, la plupart des modèles :

- cherchent du regard les objets que vous citez et vont les chercher
- viennent lorsque vous les appelez depuis une autre pièce
- prononcent des mots (assez clairement) autres que « maman » et « dada »
- répondent lorsque vous dites « non »
- se déplacent de manière plus autonome, apprenant à marcher et à grimper
- montrent du doigt l'endroit où ils veulent aller

SIGNAUX D'ALERTE : si l'une des affirmations suivantes s'applique à votre bébé après les douze premiers mois de fonctionnement, contactez son chargé de maintenance :

- Le bébé ne prononce aucun son.
- Le bébé n'imite aucun de vos gestes.
- Le bébé ne tient pas debout tout seul.

Courbes de poids et de croissance

Les courbes de poids et de croissance, que vous trouverez dans le carnet de santé de votre enfant, permettent de surveiller le développement physique du bébé. Le « centile » déterminé sur la courbe indique son développement par rapport à la moyenne nationale des autres modèles de même âge et de même sexe. Trois paramètres sont mesurés : le poids, la taille et le périmètre crânien.

Par exemple, si votre bébé est dans le 20e centile pour le poids, cela signifie qu'il pèse davantage que 20 % des autres bébés du pays, et moins que les 80 % restants. Sachez que beaucoup de modèles ont des centiles différents pour les trois variables mesurées.

[1] Pesez le bébé. Une solution consiste à vous peser, puis à vous peser à nouveau avec le bébé dans les bras. Une simple soustraction permet ensuite d'obtenir le poids du bébé. Le chargé de maintenance, lui aussi, pèsera régulièrement le bébé.

[2] Mesurez la taille du bébé. Pour cela, posez une longue feuille de papier sur une surface plane et allongez-y le bébé. Faites un trait au sommet de sa tête. Puis tendez bien ses jambes et tracez un autre trait à la base de ses pieds. Veillez à bien faire les deux traits à la même distance du bord de la feuille, puis mesurez l'intervalle qui les sépare.

[3] Mesurez le périmètre crânien du bébé. Faites le tour de sa tête, à l'endroit le plus large, au-dessus des oreilles, avec un mètre de couturière. Mesurez toujours la tête au même endroit.

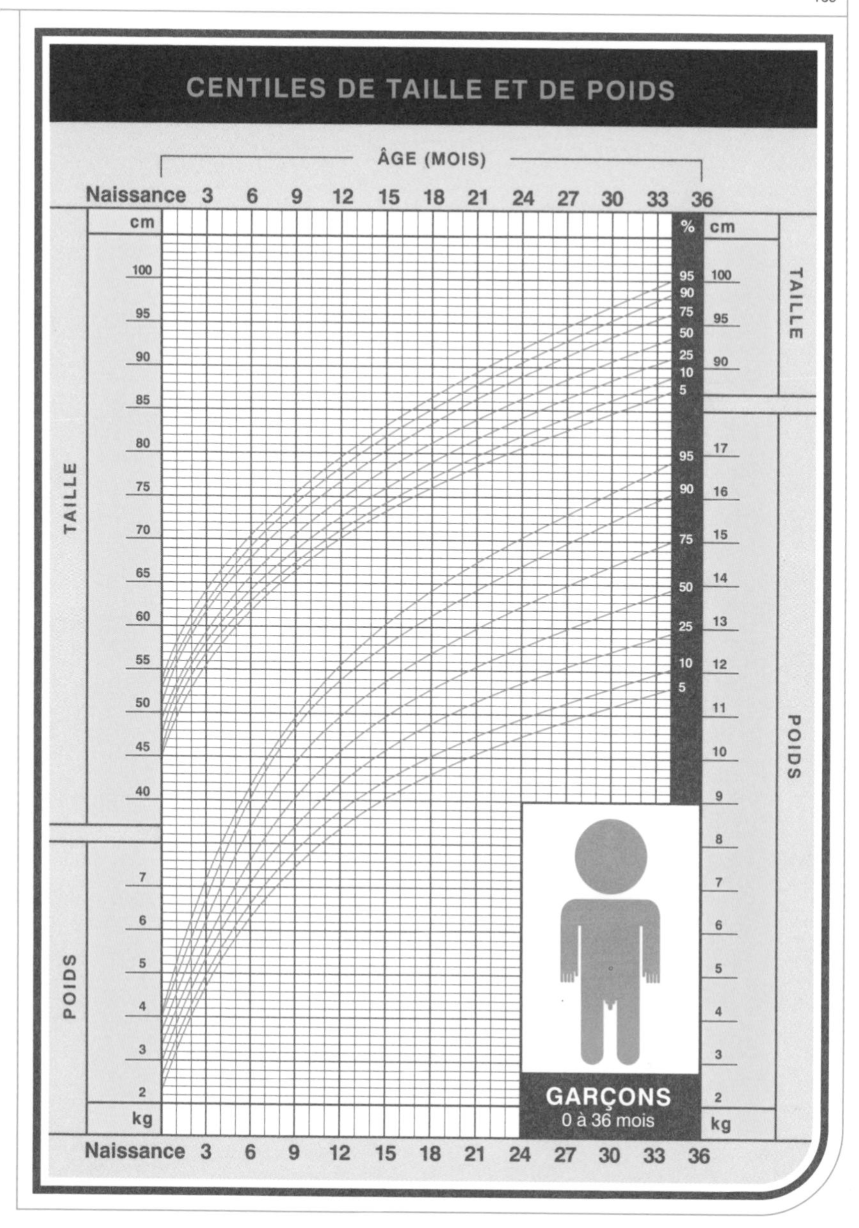

CENTILES DE TAILLE ET DE POIDS
ÂGE (MOIS)
Naissance 3 6 9 12 15 18 21 24 27 30 33 36
cm
%
TAILLE
POIDS
kg
GARÇONS
0 à 36 mois

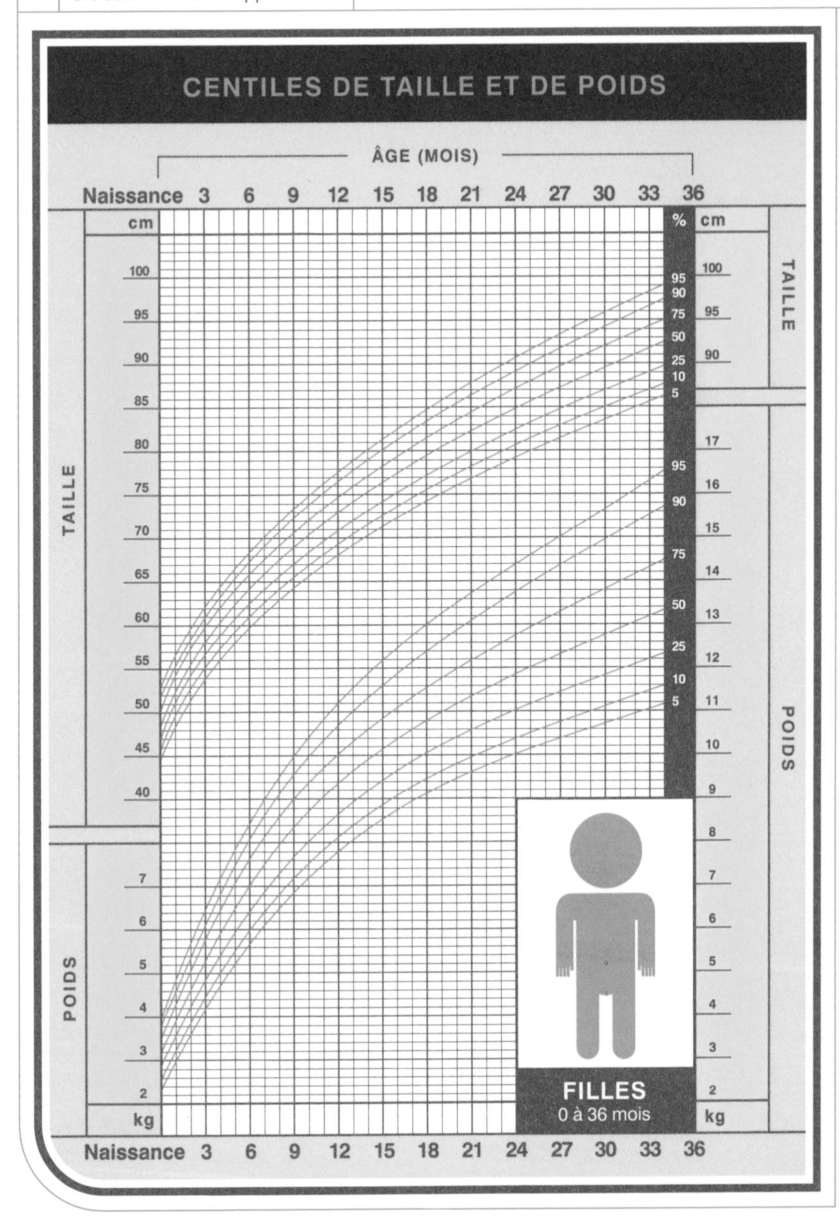
CENTILES DE TAILLE ET DE POIDS
ÂGE (MOIS)
Naissance 3 6 9 12 15 18 21 24 27 30 33 36
cm
100
95
90
85
80
75
70
65
60
55
50
45
40
TAILLE
7
6
5
4
3
2
kg
POIDS
%
95
90
75
50
25
10
5
cm
100
95
90
TAILLE
17
16
15
14
13
12
11
10
9
8
7
6
5
4
3
2
kg
POIDS
FILLES
0 à 36 mois
Naissance 3 6 9 12 15 18 21 24 27 30 33 36

[4] Reportez les chiffres sur le tableau p. 169 ou p. 170 pour déterminer le centile de votre bébé et voir comment il se situe par rapport aux autres modèles en service.

PAROLE D'EXPERT : *N'accordez pas trop d'importance à ces chiffres. Un bébé dans le 10e centile pour la taille peut parfaitement être grand à l'âge adulte. L'élément déterminant pour le schéma de croissance d'un enfant est le schéma de croissance de ses parents : les personnes qui étaient petites lorsqu'elles étaient enfants auront une progéniture de petite taille.*

Communication verbale

Vers six mois, le bébé constatera qu'il est préprogrammé pour parler votre langue. En lui parlant, vous activerez cette prise de conscience. Dans un premier temps, il reproduira les sons que vous émettez, avant d'apprendre à parler tout seul.

Certains utilisateurs se servent de leur vocabulaire et de leur diction habituels pour parler au bébé. Ce dernier aura peut-être du mal à répéter certains sons, mais il apprendra le juste mot pour désigner les personnes, les lieux et les objets.

D'autres utilisateurs préfèrent « parler bébé », un style de communication qui permet au bébé de répéter plus facilement les sons émis. Toutefois, il risque de provoquer une confusion quant au nom correct des personnes, des lieux et des objets.

Il est recommandé de panacher ces deux techniques. Pour optimiser les résultats, parlez une octave plus haut. En effet, pour les capteurs audio du bébé, les sons aigus sont plus faciles à percevoir.

Parler-bébé

Diverses expressions de « parler-bébé » sont préinstallées sur l'enfant à la livraison. C'est le cas des sons suivants :

- Cou
- Gou
- Ah

Lorsque le bébé produit l'un de ces sons, répétez-le. Cela l'encouragera à émettre des sons tout en lui enseignant les rudiments de la conversation.

Langage adulte

Vers six mois, certains modèles commencent à émettre des sons ressemblant à des fragments de discours adulte, comme « da », « ba », « ma » et « la ». La technique suivante aidera le bébé à transformer ces sons en mots :

[1] Répétez les sons qu'il a produits.

[2] Encouragez-le à vous imiter. Applaudissez ou manifestez votre joie lorsqu'il répète l'un de vos sons.

[3] Répondez au babillage du bébé par un discours d'adulte, comme « Ah bon, vraiment ? » ou « Oui, c'est vrai ce que tu dis ». Vos sourires et votre enthousiasme l'inciteront à poursuivre la conversation.

PAROLE D'EXPERT *: Beaucoup d'utilisateurs décrivent au bébé ce qu'ils sont en train de faire, par exemple : « Tiens, regarde, je prépare ton biberon ». Le bébé appréciera l'attention qu'on lui porte et apprendra sans doute plus rapidement à manier le langage.*

Mobilité du bébé

À mesure que ses capacités motrices s'améliorent, le bébé apprend à ramper, à se relever, à marcher et même à grimper. En attendant qu'il maîtrise ces mouvements, soyez vigilant et veillez à ce qu'il ne se blesse pas.

Marcher à quatre pattes

Vers neuf mois, le bébé commence généralement à marcher à quatre pattes. Vous le verrez peut-être ramper en marche arrière, privilégier un côté ou trébucher en tournant. Ces opérations sont parfaitement normales. Certains modèles ne marchent jamais à quatre pattes, ce qui n'est pas un défaut de fabrication. Beaucoup se roulent par terre ou glissent jusqu'à ce qu'ils sachent marcher. En revanche, tous les modèles développent un mode de déplacement quelconque avant de marcher. Lorsque le bébé s'entraînera à marcher à quatre pattes, suivez les conseils qui suivent :

[1] Restez à ses côtés jusqu'à ce qu'il maîtrise l'exercice.

[2] Si vous constatez qu'il se débrouille mieux d'un côté que de l'autre, placez-vous sur son côté le plus faible là où il risque davantage de tomber.

[3] Limitez la marche à quatre pattes aux surfaces douces, comme la moquette, les tapis ou la pelouse. Il risquera moins de se faire mal.

Se redresser

Ensuite, le bébé essaiera peut-être de se mettre debout en s'agrippant aux meubles ou à l'utilisateur. En attendant qu'il maîtrise cette manœuvre, prenez les mesures suivantes pour prévenir les accidents et les blessures :

[1] Préparez une zone de réception. Ayez un coussin ou une couverture à portée de main pour le placer aux pieds du bébé lorsqu'il commence à se redresser.

[2] Stabilisez le bébé avec vos mains. Lors de ses premières tentatives, il tombera de manière imprévisible, jusqu'à ce que son équilibre, la coordination de ses mouvements et la force de ses bras aient atteint la maturité suffisante.

Grimper

Nul besoin d'être un marcheur chevronné pour commencer à grimper. Vers douze mois, la pratique de la marche à quatre pattes et du redressement en station debout l'inciteront peut-être à escalader les escaliers, les meubles et d'autres objets.

[1] Restez à proximité de l'enfant. S'ils arrivent à escalader, la plupart des bébés ne sont pas en mesure de faire la manœuvre en sens inverse.

[2] Soutenez le bébé lorsqu'il escalade. Il est possible qu'il ne connaisse pas son centre de gravité et qu'il bascule avant de tomber. Assistez-le jusqu'à ce que le système de détection de son centre de gravité soit opérationnel.

[3] Surveillez systématiquement le bébé lorsqu'il monte des marches. Les chutes dans les escaliers peuvent être extrêmement dangereuses. Gardez toujours une main sur lui et veillez à ce qu'il ne tombe pas en arrière ni sur le côté.

PAROLE D'EXPERT *:* Apprenez au bébé à descendre en marche arrière lorsqu'il est dans un escalier, sur une chaise, etc. Retournez-le manuellement et aidez-le à descendre. Bientôt, il fera la manœuvre tout seul. Restez toutefois toujours à proximité pour le surveiller.

MOBILITÉ
1 MARCHER À QUATRE PATTES
2 SE REDRESSER
3 GRIMPER
4 MARCHER
5 Les chaussures peuvent entraver la mobilité verticale
1
2
3
5
4

Marcher

Lorsque l'enfant fera ses premiers pas, vers douze mois, il commencera à savoir se rattraper (chute en avant) ou à atterrir sur ses fesses (chute arrière). Des mesures préventives permettent toutefois d'éviter des blessures.

[1] Laissez-le marcher pieds nus. Ne vous précipitez pas pour lui acheter des chaussures. Il apprendra mieux à marcher sans ces accessoires, qui lui paraîtront sans doute bien étranges dans un premier temps. Mettez-lui des chaussures souples, uniquement pour marcher à l'extérieur.

[2] Déblayez son chemin. Il est probable qu'il regarde davantage sa destination – un jouet favori ou vous – que là où il met les pieds.

[3] Les bords de meubles saillants peuvent endommager le bébé.

Les chutes

Tous les modèles de bébés sont beaucoup plus résistants que ne le craignent leurs utilisateurs, et les chutes inévitables ne provoquent pas systématiquement des pannes. En cas de chute, suivez les instructions suivantes :

[1] Ne paniquez pas. Le bébé sent votre peur et votre panique. Plus vous paraîtrez calme, mieux il réagira.

[2] Allez vers lui lentement (si la chute n'est pas trop grave). Un bébé qui voit son utilisateur se précipiter vers lui risque d'avoir peur.

[3] Réconfortez-le en lui parlant pendant que vous vous approchez. Dites : « Tout va bien. Dans une minute, tu gambaderas à nouveau. »

[4] Prenez-le dans vos bras s'il a besoin d'être consolé davantage.

[5] Inspectez-le pour voir s'il est blessé, et soignez-le le cas échéant.

[6] S'il continue à pleurer, faites diversion. Un jouet lui fera peut-être oublier sa chute.

Angoisse de la séparation

Une fois que le bébé aura compris qui vous êtes et à quel point il dépend de vous, il est possible qu'il soit inquiet lorsque vous serez parti. C'est ce qu'on appelle l'angoisse de la séparation.

Ce sentiment se manifeste généralement entre le 8e et le 10e mois. L'enfant est extraverti avec l'utilisateur, mais introverti avec des inconnus. Il est possible qu'il se mette à pleurer dès que vous sortez de son champ de vision, ne serait-ce que pour cinq minutes, ou qu'il se réveille la nuit pour vous appeler.

L'angoisse de la séparation atteint généralement son point culminant vers le 15e mois. Essayez les stratégies suivantes pour vous aider, le bébé et vous, à gérer ces nouveaux sentiments :

[1] Réconfortez-le lorsqu'il paraît inquiet.

[2] Demandez aux personnes qu'il ne connaît pas de lui parler doucement et de s'approcher lentement.

[3] Introduisez un objet transitionnel (voir p. 122).

[4] Familiarisez-le aux endroits nouveaux en douceur. Ce n'est pas le moment idéal pour une entrée en crèche.

Si vous ne pouvez pas faire autrement, faites une longue adaptation en crèche, en restant plusieurs jours avec lui puis en ne le laissant que cinq ou dix minutes tout seul les premières fois. Ne partez jamais sans lui dire au revoir, pour qu'il ait confiance en vous.

Gérer les colères

L'enfant qui commence à comprendre son environnement peut être très frustré lorsqu'il essaie de communiquer avec son entourage. Cette frustration s'exprime souvent sous forme de colères.

Ces phénomènes apparaissent entre le 10e et le 12e mois du bébé. Il pleure ou pleurniche, tend la main vers un objet qu'il désire avoir, tape du pied, donne des coups de poings ou fait des moulinets avec les bras. Sur certains modèles, les colères, nous a-t-on rapporté, persistent pendant plusieurs années. Utilisez les techniques suivantes pour gérer les premières colères :

[1] Dès la première année, introduisez le « non ! ». Le bébé n'en comprendra peut-être pas tout de suite le sens. Ne l'utilisez pas à tout bout de champ mais réservez-le aux choses importantes, comme « Non, n'y touche pas, ça brûle ! » ou « Non, ne mets pas ça dans la bouche, c'est un insecte ! ». Le « non ! » se révélera utile lorsque l'enfant fera des colères.

[2] Fournissez autant d'explications que possible. Beaucoup de modèles sont dotés de fonctions intégrées qui leur permettent de comprendre pourquoi on ne peut pas jouer avec un couteau ni toucher un four brûlant. Vos explications l'aideront à se plier aux interdits.

[3] Ne réagissez pas de manière émotionnelle à ses pleurs ou gémissements, ce qui lui montrerait que son comportement suscite une réaction de votre part. Si la sécurité de l'enfant n'est pas menacée, ignorez ses pleurs et ses gémissements.

[4] Concentrez-vous sur les comportements positifs. Félicitez l'enfant lorsqu'il se comporte bien. Applaudissez et souriez lorsqu'il range un jouet tout seul.

[5] Faites preuve de patience. Les chargés de maintenance affirment qu'il s'agit d'une « phase », qui passera.

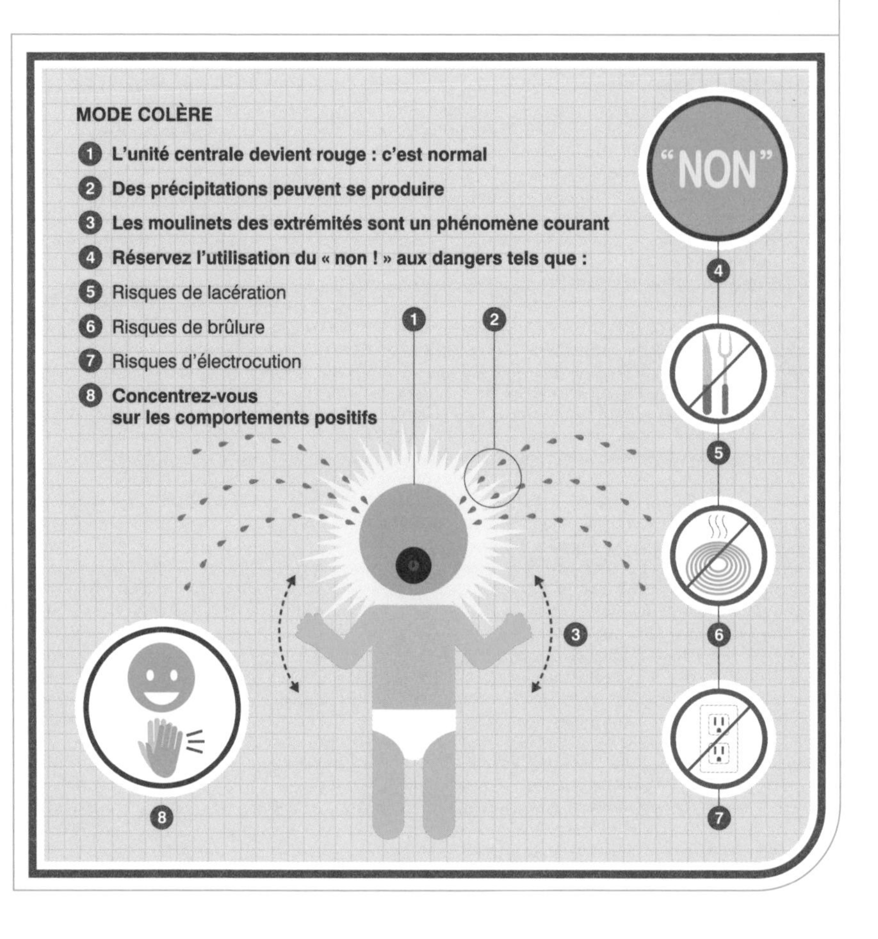

MODE COLÈRE
1 L'unité centrale devient rouge : c'est normal
2 Des précipitations peuvent se produire
3 Les moulinets des extrémités sont un phénomène courant
4 Réservez l'utilisation du « non ! » aux dangers tels que :
5 Risques de lacération
6 Risques de brûlure
7 Risques d'électrocution
8 Concentrez-vous
sur les comportements positifs
"NON"

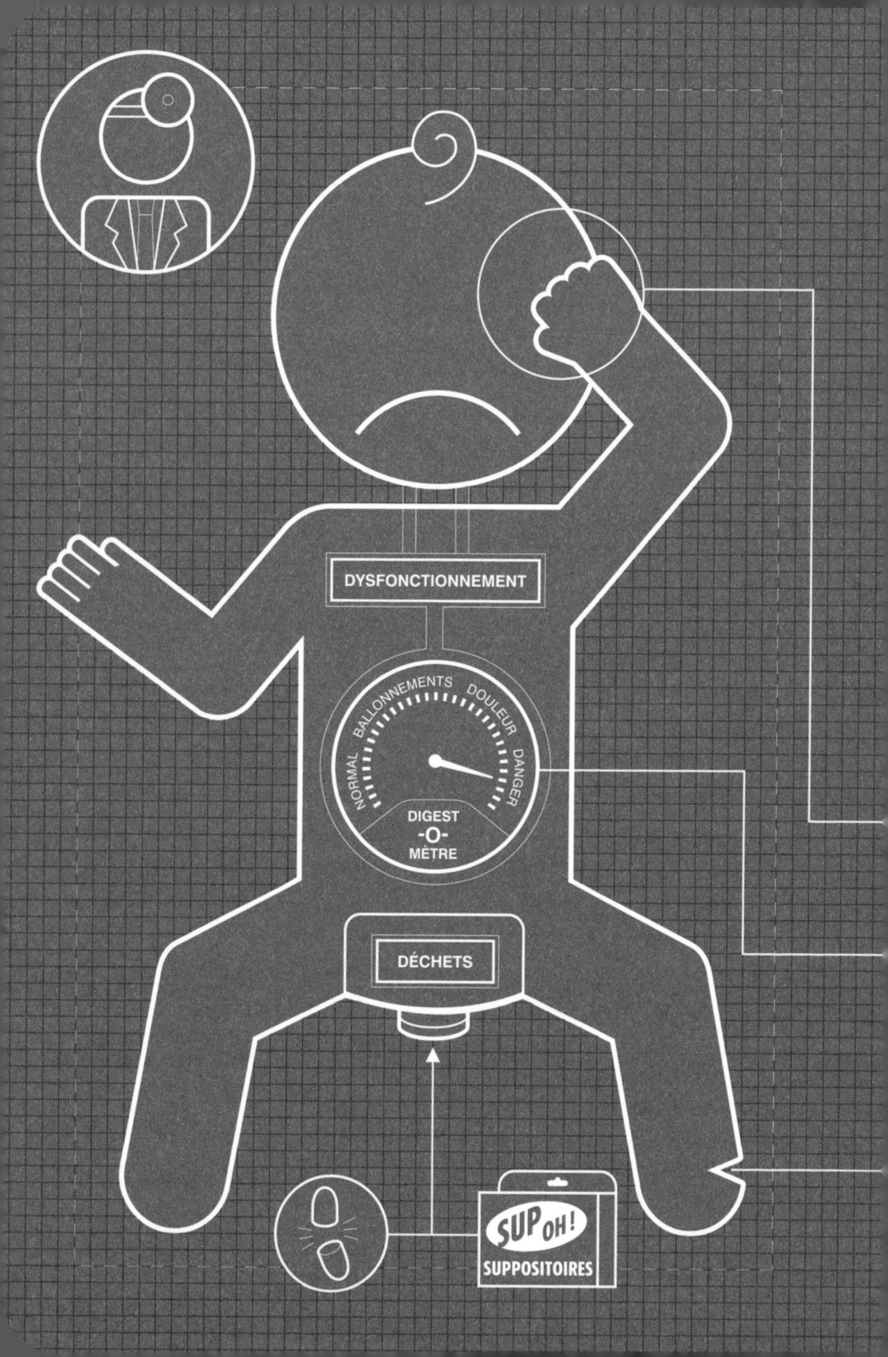
DYSFONCTIONNEMENT
NORMAL
BALLONNEMENTS
DOULEUR
DANGER
DIGEST
-O-
MÈTRE
DÉCHETS
SUP OH!
SUPPOSITOIRES

[Chapitre 7]

Sécurité et procédures d'urgence

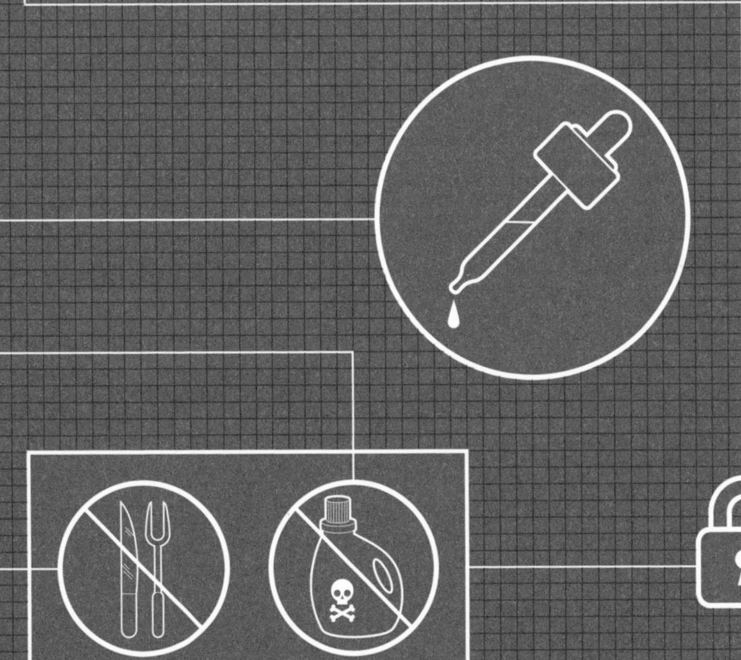

Sécurisation de l'environnement de l'enfant

Lorsque le bébé devient plus mobile, vers neuf mois, il se met à explorer le monde qui l'entoure. Pour assurer le bon fonctionnement de votre modèle, il vous faudra sécuriser son environnement. Une fois que vous aurez intégré les principes fondamentaux de cette procédure, vous pourrez sécuriser d'autres maisons ou d'autres pièces que le bébé et vous serez amenés à utiliser.

Mise en conformité : stratégies générales

[1] Identifiez tout objet susceptible d'être avalé ou d'étrangler l'enfant et retirez-le.

[2] Couvrez les prises et les fils électriques. Utilisez des caches pour obstruer les prises non utilisées, et des cache-câbles pour fixer les fils électriques des lampes au sol ou au mur.

[3] Installez des protège-doigts sur les portes intérieures. Ces dispositifs, en vente dans les magasins de bricolage, empêchent les portes de s'ouvrir et de se refermer complètement. Ainsi, le bébé ne risquera pas de se coincer les doigts et il ne pourra pas s'enfermer dans une pièce.

[4] Installez des verrous aux fenêtres. Si vous avez des fenêtres à manivelles, retirez les manivelles et rangez-les hors de portée de l'enfant.

[5] Si vous avez des stores, relevez les cordons qui servent à les remonter. L'enfant pourrait s'étrangler.

[6] Installez des barrières devant les escaliers et les pièces « interdites ». Les modèles qui se mettent en place par pression conviennent uniquement en bas des escaliers. Les dispositifs installés en haut des marches, eux, doivent toujours être solidement fixés au mur, pour plus de sécurité.

[7] Fixez aux murs les bibliothèques et tous les meubles susceptibles de se renverser, pour qu'ils ne tombent pas sur l'enfant si celui-ci essaie de se redresser en s'y agrippant.

[8] Passez régulièrement l'aspirateur. Inhalées, les poussières et les saletés peuvent entraîner des dysfonctionnements du système respiratoire. Les saletés, qui passeront des mains de l'enfant à sa bouche, risqueront de le rendre malade.

[9] Prévenez tout risque d'incendie. Les extincteurs ainsi que les détecteurs de fumée et de monoxyde de carbone doivent être en état de marche et accessibles.

[1 0] Si vous habitez un logement avec une climatisation ou un chauffage à soufflerie collectifs, placez des protections en plastique sur les sorties d'air chaud pour éviter les brûlures. Si les sorties d'air froid sont intégrées au sol, assurez-vous que les grilles peuvent supporter le poids de l'enfant. Si nécessaire, faites-les remplacer.

PAROLE D'EXPERT : Si vous vivez dans un logement ancien ou si la peinture s'écaille, faites tester la peinture pour voir si elle contient du plomb. Retirez les écailles de peinture et les revêtements au plomb.

[1 1] Si vous possédez des armes à feu, débarrassez-vous-en ou placez-les dans un rangement fermé à clé, conservez les munitions dans une autre pièce.

Dans la cuisine

Il est préférable que l'enfant n'entre pas dans cette pièce lorsque vous faites la cuisine. Pour sécuriser la cuisine, suivez les conseils suivants :

[1] Placez les couteaux, les sacs en plastique et les ustensiles de cuisine coupants dans un tiroir qui ferme à clé.

[2] Rangez les produits d'entretien, les extincteurs et autres produits toxiques en hauteur.

[3] Sécurisez tous les appareils électroménagers. Mettez un cadenas sur le réfrigérateur et des caches sur les boutons de la cuisinière. Assurez-vous que le système de fermeture du lave-vaisselle fonctionne correctement. Débranchez tous les appareils dont vous ne vous servez pas.

[4] Cuisinez en toute sécurité. Utilisez en priorité les plaques arrière de la cuisinière, et tournez les manches de casseroles vers l'intérieur.

[5] Installez un tiroir ou un placard « spécial bébé », que l'enfant a le droit d'explorer. Placez-y des cuillères en bois, des petites casseroles et poêles, des récipients en plastique et autres objets non dangereux.

Dans la salle de bains

N'autorisez pas l'enfant à explorer tout seul cette pièce pleine de surfaces dures et potentiellement glissantes. Lorsqu'il s'y trouve avec ses utilisateurs, prenez les précautions suivantes :

[1] Installez un système de fermeture sur les toilettes. Prenez l'habitude de baisser la lunette et le couvercle. Le dispositif fixera les deux à la cuvette.

[2] Rangez médicaments, lotions, dentifrices, bains de bouche et autres articles de toilette dans une armoire hors de portée de l'enfant. Pour plus de sécurité, fermez-la à clé.

[3] Vérifiez que toutes les prises sont reliées à la terre.

[4] Débranchez les appareils électriques et rangez-les.

[5] Ne jetez pas des objets potentiellement dangereux, comme des lames de rasoir ou des flacons de maquillage vides, dans la poubelle de la salle de bains.

[6] Posez des tapis sur les surfaces dures et carrelées.

[7] Sécurisez la baignoire (voir p. 144).

Dans la chambre à coucher

[1] Si le bébé passe beaucoup de temps dans le lit de l'utilisateur, installez-y des barrières pour parer tout risque de chute.

[2] Sécurisez aussi le dessous du lit. Retirez les grandes boîtes susceptibles de coincer le bébé et les petits objets présentant un risque d'étouffement.

Dans le salon

[1] Sécurisez la cheminée. Mettez un pare-feu pour empêcher l'enfant de s'approcher des flammes. Retirez les boutons permettant d'allumer les cheminées au gaz. Rangez les allumettes hors de portée de l'enfant.

[2] Installez des protections sur les angles vifs et les bords des tables basses. Si vous avez une table carrée ou en verre, en pierre ou en métal, envisagez sérieusement de la remplacer par une table ronde en bois.

Dans la salle à manger

[1] N'utilisez pas de nappes. Si vous en mettez une pour un dîner ou une fête, retirez-la dès le départ de vos invités. Si l'enfant tire sur la nappe, tous les objets sur la table risquent de lui tomber dessus.

[2] Rangez toutes les boissons alcoolisées dans un placard en hauteur, qui ferme à clé.

En voyage

Lorsque vous voyagez, veillez à sécuriser le nouvel environnement de l'enfant. Renforcez votre surveillance jusqu'au moment où vous aurez pris toutes les mesures nécessaires.

La trousse de premiers soins

Il est recommandé à tous les utilisateurs de se constituer un kit de dépannage, réunissant les accessoires, les pansements et les produits nécessaires pour soigner l'enfant en cas d'urgence. Certains utilisateurs ont une trousse pour la maison, une autre pour la voiture et une troisième trousse portable pour leurs déplacements. Ces kits doivent être facilement accessibles tout en restant hors de portée de l'enfant. Inspectez-les tous les mois pour remplacer les médicaments périmés ou les accessoires obsolètes. Achetez une boîte en plastique pour les petits objets et rangez les accessoires plus volumineux à côté.

Contenu de la trousse de premiers soins :

- Bandages, sparadrap et compresses stériles
- Rouleau et compresses de gaze
- Coton
- Pansements adhésifs
- Thermomètre électronique
- Ciseaux
- Pince à épiler
- Compte-gouttes ou pipette pour médicaments
- Lampe de poche avec piles de rechange
- Couverture
- Crème antiseptique
- Crème antibiotique
- Crème à la calamine
- Crème solaire écran total
- Spray ou crème contre les brûlures
- Crème à l'hydrocortisone (1 % ou moins)
- Vaseline
- Savon
- Bouteille d'eau propre
- Ibuprofène ou paracétamol
- Antihistaminique
- Solution pour le nez bouché
- Sirop contre la toux
- Tout autre médicament spécifique à votre modèle
- Carte ou manuel d'instruction pour la réanimation cardiorespiratoire et la manœuvre de Heimlich
- Kit antipoison
- Numéros de téléphone d'urgence
- Lingettes antibactériennes

Manœuvre de Heimlich et réanimation cardiorespiratoire

La manœuvre de Heimlich permet d'évacuer un corps étranger obstruant les voies respiratoires du bébé. Si l'enfant ne respire plus, une réanimation cardio-respiratoire doit être pratiquée. Tous les utilisateurs, qu'ils soient principaux ou secondaires, doivent maîtriser ces deux procédures. Pour savoir où apprendre ces manœuvres, renseignez-vous auprès de la Croix-Rouge.

Identification d'un problème respiratoire

[1] Soyez attentif aux signaux d'alerte. Le bébé a du mal à respirer ? Il devient bleu ? Est-ce qu'il s'étouffe, devient inconscient ou ne réagit plus aux stimuli ?

PAROLE D'EXPERT *: En écoutant et en touchant l'enfant, on parvient généralement à déterminer s'il respire encore. Placez un miroir incassable devant son nez et sa bouche. S'il respire, le miroir se couvrira de buée.*

[2] Demandez à quelqu'un d'appeler le SAMU. Si vous êtes seul, faites la manœuvre de Heimlich ou la réanimation cardiorespiratoire pendant une minute, puis appelez le SAMU et retournez ensuite auprès de l'enfant.

[3] Efforcez-vous de déterminer l'origine du problème. L'enfant ne respire plus ? Était-il en train de manger ? Un corps étranger est-il coincé dans sa gorge ? Si c'est le cas, pratiquez la manœuvre de Heimlich (voir page suivante).

L'enfant n'arrive-t-il pas à respirer normalement ? Entendez-vous un sifflement ? Est-ce que l'enfant s'étouffe ou tousse ? Si oui, asseyez-le, en le penchant légèrement en avant, et laissez-le tenter d'expulser le corps étranger grâce aux réflexes naturels, en toussant. S'il n'arrive toujours pas à respirer normalement au bout de deux ou trois minutes, appelez le SAMU. Dans cette situation, ne pratiquez pas la manœuvre de Heimlich, au risque d'enfoncer davantage le corps étranger.

Si l'enfant est inconscient mais qu'il ne semble pas y avoir de corps étranger dans ses voies respiratoires, faites une réanimation cardiorespiratoire (voir p. 191).

Si l'enfant est malade ou s'il souffre d'une allergie qui peut l'empêcher de respirer, ne faites ni manœuvre de Heimlich, ni réanimation cardiorespiratoire. Appelez immédiatement le SAMU et suivez les instructions qui vous seront données.

Manœuvre de Heimlich

[1] Asseyez-vous et tendez une jambe.

[2] Tenez le bébé de manière à l'allonger sur votre avant-bras, à plat ventre. Soutenez sa tête et sa nuque avec votre main. Appuyez votre bras et le bébé sur votre jambe tendue. Ainsi, la tête du bébé sera légèrement plus basse que son corps.

[3] De l'autre main, tapez-lui dans le dos (fig. A). Tapez cinq coups, doucement mais fermement, directement entre les omoplates. Cessez la manœuvre dès que le corps étranger est expulsé. Si l'enfant ne parvient toujours pas à respirer, passez à l'étape suivante.

[4] Tournez le bébé pour l'allonger sur le dos, sur votre jambe tendue, la tête près de votre genou et tournée sur le côté. Ainsi, sa tête sera plus basse que son corps. Soutenez sa tête et sa nuque.

[5] Comprimez le haut de l'abdomen de l'enfant (fig. B). Imaginez une ligne passant sur ses deux mamelons. Posez deux doigts à 1,5 cm sous cette ligne imaginaire, sur le sternum. Comprimez-la cinq fois, doucement mais fermement.

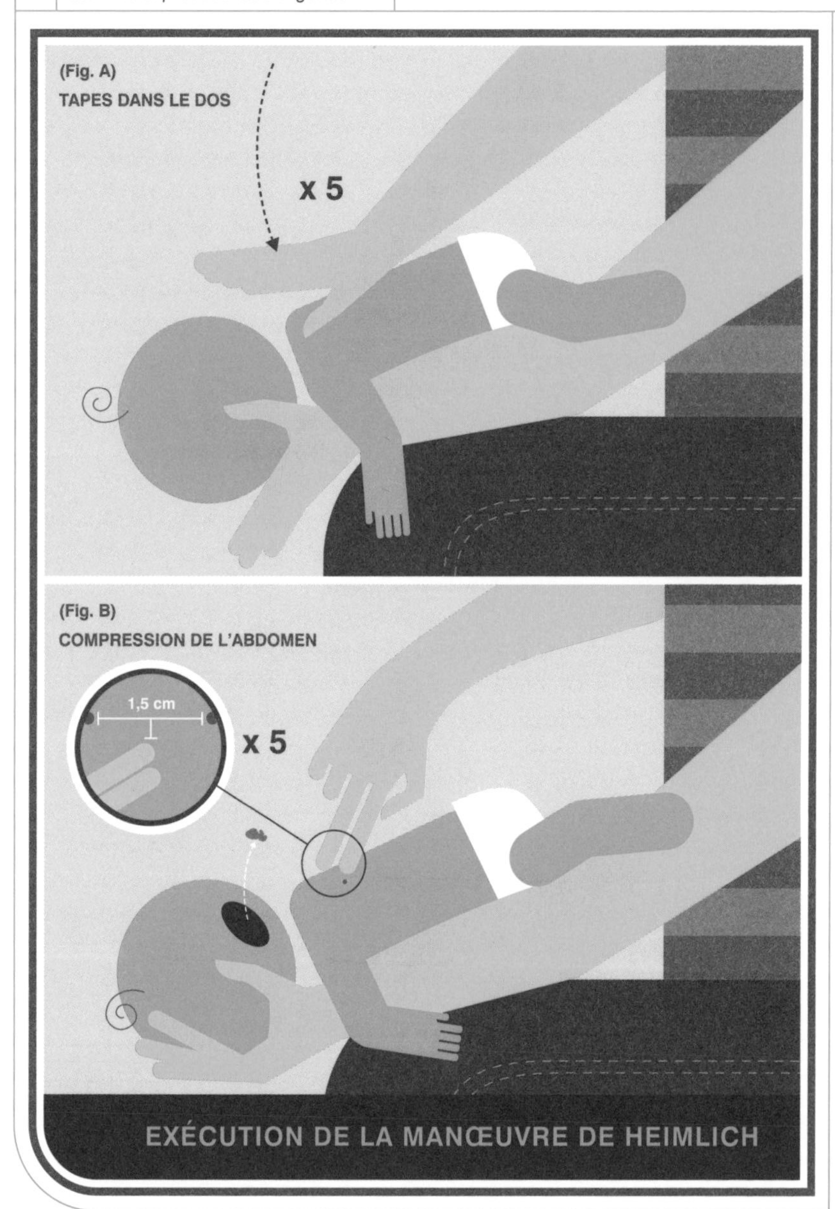
(Fig. A)
TAPES DANS LE DOS
x 5
(Fig. B)
COMPRESSION DE L'ABDOMEN
1,5 cm
x 5
EXÉCUTION DE LA MANŒUVRE DE HEIMLICH

[6] Répétez les étapes 2 à 5 jusqu'à expulsion du corps étranger.

[7] Vérifiez que l'enfant respire bien. N'insérez pas votre doigt dans sa bouche en le glissant d'un côté à l'autre – vous risqueriez d'enfoncer à nouveau le corps étranger.

[8] Si vous n'arrivez pas à déloger le corps étranger, continuez les étapes 2 à 7 jusqu'à l'arrivée du SAMU.

Réanimation cardiorespiratoire

[1] Allongez le bébé sur le dos, sur une surface plane et ferme.

[2] Soulevez son menton, pour incliner légèrement sa tête vers l'arrière (fig. A).

[3] Placez votre bouche sur le nez et la bouche du bébé.

[4] Insufflez trois fois de l'air, rapidement, une fois toutes les trois secondes (fig. B).

⚠ ***ATTENTION** : Une bouffée d'air suffit : les poumons du bébé sont tout petits. N'essayez pas de faire passer tout l'air de vos poumons dans ceux du bébé.*

[5] Observez la poitrine du bébé. Elle devrait monter et descendre lorsque vous soufflez. Dès que le bébé recommence à respirer tout seul, cessez le bouche-à-bouche.

[6] Prenez le pouls du bébé en procédant comme suit :

- Écartez un bras de son corps et mettez-le à angle droit avec son corps.
- Posez deux doigts sur l'intérieur du bras, entre l'épaule et le coude. Vous devriez sentir son pouls (fig. C).

[7] Si vous sentez le pouls mais que le bébé ne respire pas, répétez l'étape 4, en insufflant 20 fois de l'air, rapidement. Si vous ne sentez pas le pouls, passez à l'étape 8.

[8] Imaginez une ligne passant sur les deux mamelons du bébé. Posez deux doigts à 1,5 cm sous cette ligne imaginaire, juste sur le sternum du bébé.

[9] Comprimez l'abdomen de 1,5 à 2,5 cm, cinq fois, à intervalles de trois secondes.

[10] Insufflez encore une fois de l'air, tel que décrit à l'étape 4.

[11] Vérifiez la respiration et le pouls du bébé. S'ils ne sont pas revenus, répétez les étapes 9 et 10. Si la respiration et le pouls sont revenus, passez à l'étape 13.

[12] Poursuivez la réanimation cardiorespiratoire jusqu'à l'arrivée du SAMU.

[13] Une fois l'enfant réanimé, allez aux urgences. L'enfant devra être examiné par un médecin, qui s'assurera qu'il n'y a pas de lésions.

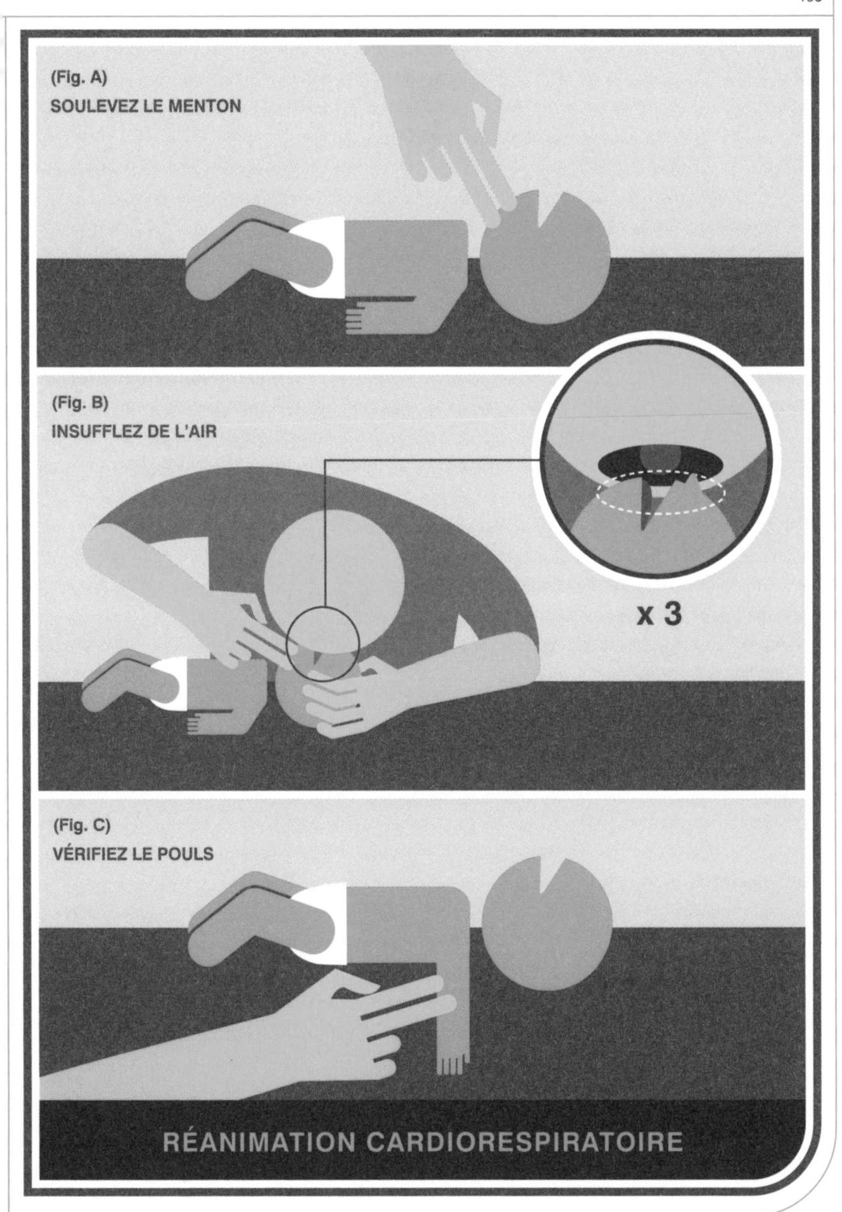
(Fig. A)
SOULEVEZ LE MENTON
(Fig. B)
INSUFFLEZ DE L'AIR
x 3
(Fig. C)
VÉRIFIEZ LE POULS
RÉANIMATION CARDIORESPIRATOIRE

Comment prendre la température du bébé

La température interne de l'enfant doit être d'environ 37 °C. Elle varie légèrement au cours de la journée : plus basse le matin, elle augmente le soir.

La méthode la plus simple et la plus fiable pour prendre la température du bébé consiste à insérer un thermomètre électronique dans son anus. Le thermomètre traditionnel à mercure est aujourd'hui interdit à la vente, ces accessoires se cassant facilement, risquant d'endommager le bébé.

⚠ ***ATTENTION** : Les bébés n'ont ni la patience, ni les compétences motrices nécessaires pour que l'on prenne leur température par la bouche (fig. B).*

[1] Préparez le thermomètre : rincez-le à l'eau tiède et séchez-le. Enduisez d'un peu de vaseline ou d'un autre lubrifiant sur son extrémité.

[2] Préparez le bébé. Allongez-le sur le dos, sur une surface plane, déshabillez-le et enlevez sa couche. Vous pouvez aussi l'allonger sur le ventre, en l'installant sur vos genoux.

[3] Pour insérer le thermomètre, écartez légèrement ses fesses et enfoncez le thermomètre de 2 cm au maximum dans l'anus (fig. A).

[4] Maintenez le thermomètre en place pendant deux minutes. En gardant les fesses du bébé serrées, vous faciliterez la procédure. La plupart des thermomètres électroniques sonnent lorsque la température s'affiche.

[5] Retirez le thermomètre. Couvrez le bébé avec un tissu ou une couche.

⚠ ***ATTENTION** : La prise de température rectale peut provoquer une selle. Allongez le bébé sur une serviette.*

[6] Regardez la température affichée. Si elle est supérieure à 39 °C, contactez immédiatement le chargé de maintenance du bébé.

⚠ ***PAROLE D'EXPERT** : On peut aussi prendre la température sous le bras (fig. B). Dans ce cas, le chiffre affiché est légèrement inférieur à la température prise dans l'anus. Pour déterminer si la fièvre a augmenté ou baissé, prenez toujours la température de la même manière.*

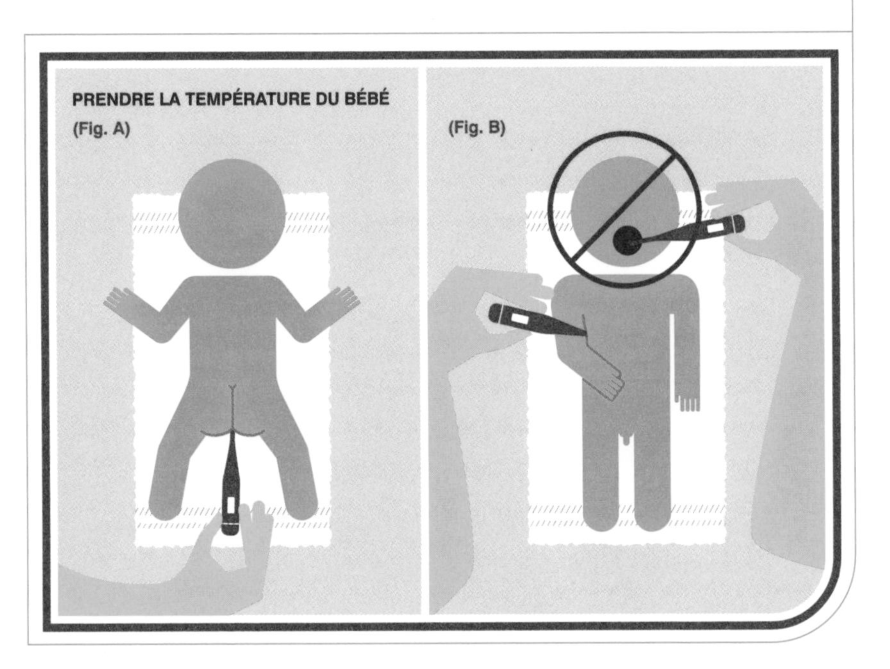

Maintenance médicale

Les bébés ont en moyenne quatre maladies au cours de la première année de fonctionnement. Il est recommandé de contacter le chargé de maintenance aux premiers signes de panne. Il établira le diagnostic avant de soigner l'enfant, ou bien, si nécessaire, de recommander un spécialiste.

Asthme

Cette maladie des bronches empêche l'enfant de respirer. Lorsqu'il n'est pas soigné, l'asthme peut être grave.

Parmi les symptômes, on compte la toux (surtout la nuit), les sifflements, la gêne respiratoire et une respiration rapide ou difficile. Le chargé de maintenance du bébé établira le diagnostic et prescrira un traitement. La fréquence des crises peut être réduite en limitant l'exposition de l'enfant à certains aliments, médicaments, polluants, changements de température ou allergènes.

Acné du bébé

Plus inesthétique que grave, cette affection de la peau disparaît généralement au bout de six semaines. Elle se présente sous forme de minuscules boutons sur le visage du bébé.

Pour soigner cette acné, lavez le visage du bébé tous les jours, avec un savon doux et de l'eau tiède, et changez régulièrement ses draps. Le chargé de maintenance du bébé pourra vous prescrire une crème adaptée.

Marques et taches de naissance

Les taches et marques de naissance sont des altérations de la pigmentation de la peau du bébé. Il est préférable d'identifier très tôt ces taches, qui ne

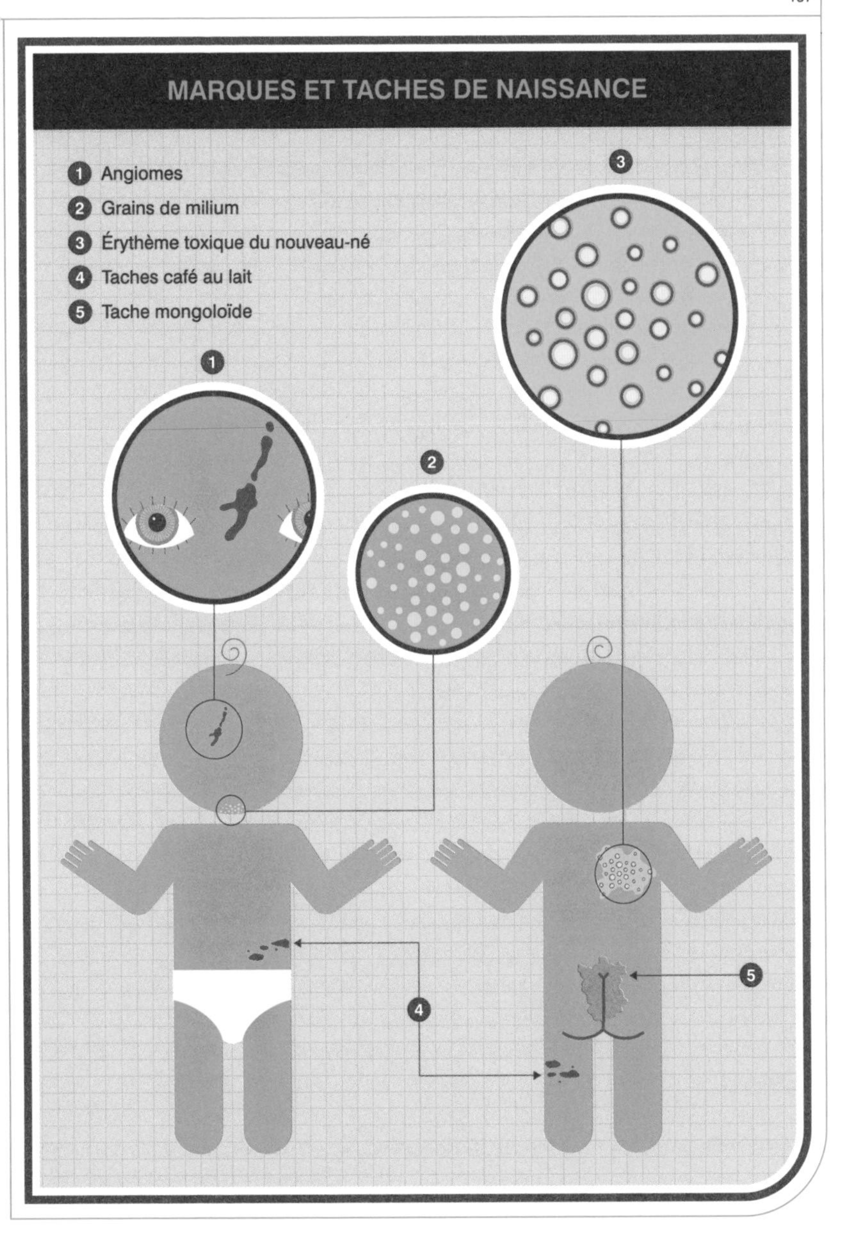
MARQUES ET TACHES DE NAISSANCE
1 Angiomes
2 Grains de milium
3 Érythème toxique du nouveau-né
4 Taches café au lait
5 Tache mongoloïde
1
2
3
4
5

constituent pas un risque pour la santé du bébé, afin de ne pas les confondre ultérieurement avec des bleus ou des irritations. Certaines disparaissent en quelques semaines, d'autres au bout de plusieurs années. Si le bébé a une marque qui vous inquiète, parlez-en à son chargé de maintenance. Voici quelques-unes des plus courantes :

Taches mongoloïdes : souvent confondues avec des bleus, ces marques bleutées sont généralement localisées sur le bas du dos ou sur les fesses du bébé. Elles sont plus courantes chez les bébés de certaines ethnies : africaine, latino-américaine, amérindienne et asiatique. Ces taches s'estompent généralement au cours de la première année.

Angiomes : ces taches roses ou orangées, qu'on prend parfois pour des irritations, se situent généralement sur le cou, le front, le nez ou les sourcils. Elles rougissent lorsque l'enfant pleure ou qu'il a de la fièvre. Elles disparaissent généralement vers l'âge de six mois.

Érythème toxique du nouveau-né : ces vésicules blanc-jaune, parfois confondues avec une infection, sont entourées d'un bord rouge. Au cours des premières semaines, ces marques peuvent toucher tout le corps du bébé. Elles disparaissent généralement à trois semaines.

Grains de milium : ces taches blanc jaunâtre apparaissent le plus souvent sur le menton du bébé. Provoquées par des sécrétions, elles disparaissent généralement au bout de trois semaines.

Taches café au lait : ces taches brun clair peuvent apparaître sur le torse ou les extrémités de l'enfant. Si vous en trouvez plus de dix, consultez son chargé de maintenance.

Bosses et bleus

Les bosses et les bleus disparaissent généralement en une semaine à dix jours. Lorsqu'ils ne s'accompagnent pas d'autres symptômes, ils se soignent facilement à la maison.

[1] Appliquez une compresse froide sur le lieu de l'impact. Posez un gant de toilette froid ou un coussin thermique contenant du gel sur la zone touchée ou à proximité. Le froid peut réduire la taille du bleu ou de la bosse.

[2] Évitez de toucher l'endroit douloureux. Adaptez la position dans laquelle vous portez et nourrissez l'enfant, pour réduire le contact avec le bobo.

[3] Surveillez la guérison. Les bosses deviennent de plus en plus petites avant de disparaître. Les bleus, eux, passent du violet au jaune, puis s'estompent totalement.

Varicelle

Cette maladie infectieuse virale provoque des éruptions cutanées qui démangent. Jusqu'à cicatrisation complète de toutes les croûtes, l'enfant est extrêmement contagieux pour toute personne n'ayant pas eu la maladie (ou n'ayant pas été vaccinée).

Les éruptions se présentent sous forme de boutons rouges, qui deviennent rapidement des vésicules puis des croûtes en 24 heures. La cicatrisation s'effectue généralement en trois à cinq jours. Les lésions, qui provoquent de fortes démangeaisons, sont très désagréables pour l'enfant (beaucoup d'utilisateurs utilisent un bain d'avoine, disponible en pharmacie, pour atténuer les démangeaisons). Si vous suspectez une varicelle chez votre enfant, consultez son chargé de maintenance et isolez-le des autres enfants.

Circoncision

Cette procédure consistant à enlever le prépuce doit impérativement être effectuée par un chargé de maintenance ou un circonciseur rituel. Elle se déroule généralement à l'hôpital (un ou deux jours après la livraison) ou à la maison (huit jours après la mise en service du bébé, ou dans les délais prescrits par les pratiques religieuses). À de rares exceptions près, il n'y a pas d'indication médicale à la circoncision. Toutefois, pour l'enfant, un pénis circoncis est plus facile à nettoyer et certaines études démontrent que la circoncision diminue les risques d'infection du pénis.

[1] Évitez tout contact avec l'eau. Ne lavez pas un pénis circoncis à l'eau avant cicatrisation complète. Essuyez-le doucement avec un tissu doux.

[2] Appliquez de la vaseline sur le pénis. Enduisez généreusement la partie de la couche qui sera en contact avec le pénis, cela aidera la cicatrice à rester sèche et empêchera le gland d'adhérer à la couche. Procédez ainsi chaque fois que vous réinstallez une couche.

[3] Vérifiez soigneusement qu'il n'y a pas de saignements ni de pus, qui indiquerait une infection. Ne touchez pas à la partie circoncise jusqu'à cicatrisation complète. Si vous suspectez une infection, contactez le chargé de maintenance du bébé.

Obstruction du canal lacrymal

Lorsque le canal lacrymal est bouché, l'œil peut s'infecter. L'obstruction n'est pas contagieuse et ce problème se règle généralement tout seul, lorsque le bébé a neuf mois.

Parmi les symptômes, on compte un écoulement de l'œil ou des sécrétions (souvent sur un seul œil). Essuyez son œil avec un tissu doux et de l'eau tiède, et contactez son chargé de maintenance.

Coliques

Il s'agit d'un ensemble de symptômes provoquant le malaise du bébé. Les coliques, dont on ne connaît pas les causes précises, disparaissent généralement après le 2e ou le 3e mois.

L'enfant souffrant de coliques se réveille fréquemment, il pleure, il est inconsolable, et il a des gaz. Si vous pensez que c'est le cas de votre bébé, contactez son chargé de maintenance ou essayez les techniques suivantes :

[1] Réconfortez le bébé. Faites-vous remplacer par un autre utilisateur, par tours de dix minutes. Bercez le bébé, balancez-le ou marchez en le tenant dans vos bras. Tout mouvement peut le distraire. Portez-le contre vous, dans un porte-bébé, ou emmenez-le faire un tour en voiture.

[2] Massez tout doucement son abdomen. Cela peut favoriser l'évacuation des gaz. Allongez-le à plat ventre sur votre bras, ou bien installez-vous sur une chaise ou dans un canapé incliné et prenez le bébé dans vos bras, de manière que son ventre repose contre vos côtes.

[3] Si vous allaitez, bannissez de votre table les aliments qui donnent des gaz, comme le chou, les haricots et le lait, ainsi que les boissons contenant de la caféine.

***PAROLE D'EXPERT** : Chaque utilisateur a ses astuces en cas de coliques : massages et bains chauds ou alimentation fréquente du bébé. Le chargé de maintenance pourra vous conseiller.*

Nez bouché

Lorsque le bébé est enrhumé, qu'il a une allergie ou qu'il fait ses dents, il est possible que son nez soit bouché par des mucosités. Cela devrait disparaître en même temps que l'origine des sécrétions.

[1] Si les mucosités sont fluides, passez à l'étape 2. Sinon, utilisez des solutions à base d'eau de mer prescrites par le chargé de maintenance du bébé ou du sérum physiologique pour déboucher le nez.

- Procédez narine par narine.
- Le bébé va certainement se mettre à pleurer. Attendez qu'il ne pleure plus pour continuer.

[2] Vous allez avoir besoin d'un mouche-bébé (disponible en pharmacie) pour retirer les mucosités.

- Appuyez sur le mouche-bébé.
- Insérez le tube dans une narine.
- Relâchez la pression sur le mouche-bébé.
- Retirez le tube.
- Videz les mucosités dans un mouchoir en papier.
- Renouvelez l'opération avec l'autre narine.

[3] Essuyez le nez du bébé avec un tissu doux ou un mouchoir en papier. Appliquez une crème douce sur les narines pour éviter toute irritation.

[4] Faites dormir le bébé dans son siège-auto. Le fait de dormir en position relevée contribuera à déboucher son nez.

Constipation

Ce problème entrave le bon fonctionnement du système d'émission de déchets solides du bébé. Ce phénomène, qui peut persister, n'est généralement pas grave s'il est traité correctement.

Parmi les symptômes, on compte des selles peu fréquentes ou très importantes, de consistance dure, ou une longue période (cinq jours ou plus) sans émission de déchets. Si vous pensez que le bébé est constipé, contactez son chargé de maintenance. Essayez aussi les techniques suivantes :

[1] Prenez la température du bébé (voir p. 194). Le thermomètre a quelquefois une action stimulante sur le système d'évacuation.

[2] Mettez-lui un demi-suppositoire de glycérine (disponible en pharmacie) et réinstallez une couche. L'opération devrait produire ses fruits en 30 minutes.

[3] Donnez-lui suffisamment de liquides, pour que ses selles soient molles. En général, un bébé doit boire 100 ml d'eau par jour par kilo de poids.

[4] Adaptez son alimentation. Réduisez ou supprimez les aliments susceptibles de constiper, comme les bananes, les poires, le riz et les céréales.

[5] Si vous donnez le biberon, changez de lait, au profit d'un lait pauvre en fer (ou d'un lait de soja, demandez conseil à votre chargé de maintenance) jusqu'à ce que le bébé ne soit plus constipé. Certains laits contiennent beaucoup de fer, qui peut donner des selles dures.

Croûtes de lait

Cette affection qui touche le cuir chevelu du bébé se manifeste par des squames jaunes, qui s'étendent parfois au visage. Elle survient rarement au-delà de trois mois.

Si vous pensez que votre bébé a des croûtes de lait, contactez son chargé de maintenance. Le programme de surveillance suivant peut en prévenir l'apparition.

[1] Avant de laver les cheveux du bébé, massez le cuir chevelu 20 secondes avec un peu d'huile d'amande douce, pour faire pénétrer l'huile.

[2] Lavez-lui la tête, avec un shampooing doux traitant pour bébé. Il est possible que deux shampooings successifs s'imposent pour enlever l'excédent d'huile. La deuxième fois, utilisez un shampooing doux.

[3] Enlevez les squames qui se détachent avec une brosse douce pour bébés.

Croup

Cette affection virale touche le larynx du bébé. Les symptômes seront plus prononcés la première nuit, puis ils s'estomperont avant de disparaître quelques jours plus tard.

Parmi les symptômes, on compte une toux rauque, une voix enrouée, un stridor (son perçant émis en inspirant), de la fièvre, une respiration accélérée, la pâleur et la léthargie. Si vous pensez que le bébé est atteint de croup, consultez son chargé de maintenance. Les changements de température atténuent souvent les symptômes : placez l'enfant dans une salle de bains remplie de buée ou sortez-le quelques minutes dans l'air de la nuit.

Coupures

Il s'agit de dommages causés par un objet tranchant. Les coupures cicatrisent généralement en huit à dix jours. Une cicatrisation plus longue peut faire craindre une infection secondaire.

Si la coupure saigne, rougit, enfle ou est purulente, c'est qu'elle est infectée. Si vous suspectez une infection ou si le saignement ne cesse pas, consultez le chargé de maintenance du bébé.

[1] Lavez la coupure avec de l'eau et du savon doux. Si elle ne saigne plus, laissez-la sécher à l'air et passez à l'étape 3.

[2] Si la coupure saigne, comprimez-la avec une compresse de gaze propre. Rapprochez les bords de la coupure en appuyant doucement. Attendez quelques minutes, puis vérifiez que le saignement a cessé.

[3] Mettez un petit peu de crème désinfectante et cicatrisante sur la coupure.

[4] Couvrez la plaie avec un pansement. Pendant la journée, vérifiez qu'il ne s'enlève pas.

[5] Changez le pansement tous les jours. Retirez-le sous l'eau courante ou dans le bain pour ramollir l'adhésif, ce qui fera moins mal. Répétez toutes les étapes jusqu'à cicatrisation.

Déshydratation

Il s'agit d'un déséquilibre entre les entrées et les sorties de liquide dans l'organisme du bébé – en clair, le bébé émet plus de liquide qu'il n'en absorbe. La déshydratation persiste jusqu'à ce que l'équilibre soit rétabli.

Parmi les symptômes, on compte la baisse des émissions d'urine (moins de trois ou quatre couches mouillées par jour), les pleurs avec peu, voire pas de larmes, la perte de poids et les lèvres sèches. Si vous suspectez une déshydratation, augmentez la consommation de liquides (eau ou lait dilué). Si vous allaitez, augmentez la fréquence ou la durée des tétées. Si le bébé est nourri au biberon, donnez-lui une solution réhydratante (disponible en pharmacie). Si les symptômes persistent, contactez le chargé de maintenance du bébé.

Diarrhée

La diarrhée entraîne une modification de la consistance et de la fréquence des déchets solides. D'origine bactérienne ou virale, elle dure généralement de cinq à sept jours.

Le principal symptôme est un accroissement du nombre de selles, de consistance liquide. Il est possible que les déchets soient également plus malodorants qu'à l'ordinaire. Si vous pensez que le bébé a la diarrhée ou si vous découvrez du sang ou des glaires dans ses selles, contactez son chargé de maintenance.

[1] Lors de la réinstallation fréquente des couches, lavez la peau avec un disque de coton et de l'eau tiède, pour ne pas l'irriter.

[2] Donnez des repas légers à l'enfant et augmentez sa consommation de liquides. S'il prend le biberon, réduisez de moitié la quantité de lait en poudre ajoutée

à l'eau. Proposez-lui aussi un biberon avec de l'eau ou de la solution réhydratante. Si vous allaitez, augmentez le nombre de tétées ou leur durée, pour éviter toute déshydratation.

[3] Soyez vigilant à tout signe de déshydratation.

[4] Ajoutez une cuillerée de yaourt au repas du bébé. Les ferments lactiques peuvent contribuer à rééquilibrer sa flore intestinale.

Allergies aux médicaments

Parmi les symptômes de l'allergie à un médicament, on compte l'urticaire, l'écoulement nasal, des difficultés respiratoires et un changement de coloration de la peau. Si vous pensez que le bébé fait une allergie à un médicament, contactez immédiatement son chargé de maintenance, qui adaptera le traitement ou qui traitera l'allergie avec un traitement adéquat.

Otites

L'otite est une infection de l'oreille moyenne, d'origine virale ou bactérienne. Les otites peuvent durer de trois à cinq jours seulement, ou bien perdurer plusieurs semaines. Lorsqu'une otite ne guérit pas au bout de cinq jours, consultez à nouveau le chargé de maintenance du bébé. L'enfant qui a une otite pleure en étant inconsolable, se touche l'oreille et a de la fièvre. Si vous pensez que le bébé a une otite, contactez son chargé de maintenance.

Les otites se traitent généralement avec des antibiotiques. Ce traitement, qui est le plus rapide, empêche l'infection de s'étendre et de provoquer des problèmes plus graves, comme une méningite (voir p. 216). Différents antibiotiques conviennent à différents modèles de bébés, et il est impossible de savoir

par avance à quel médicament votre modèle réagira. Il se peut que le médecin prescrive plusieurs antibiotiques avant de trouver le bon.

Pour préserver l'équilibre de la flore intestinale du bébé, donnez-lui du yaourt pendant la durée du traitement antibiotique. Il n'est pas rare que le traitement d'une otite dure un mois entier.

Fièvre

La plupart des médecins estiment qu'une fièvre peu élevée est une bonne chose, car elle ralentit la réplication des virus, ce qui empêche la maladie de se développer. Par conséquent, beaucoup de chargés de maintenance déconseillent de faire baisser la fièvre lorsque celle-ci ne dépasse pas 38,5 °C.

⚠ *ATTENTION : Si votre modèle a moins de trois mois et s'il a plus de 38 °C, contactez son chargé de maintenance.*

[1] Touchez le front du bébé : si vous le trouvez chaud, prenez sa température. Pour découvrir comment procéder, voir p. 194.

[2] Si le bébé a entre 38,5 °C et 39,5 °C, contactez son chargé de maintenance. Il est conseillé aux utilisateurs d'administrer de faibles doses d'ibuprofène ou de paracétamol toutes les quatre heures jusqu'à ce que la fièvre baisse. Parlez-en avec le chargé de maintenance du bébé.

[3] Si la température du bébé atteint ou dépasse 40 °C, la fièvre est élevée. Contactez immédiatement le chargé de maintenance. En attendant de le voir, tamponnez le bébé avec de l'eau tiède, qui s'évaporera plus rapidement que de l'eau froide et rafraîchira l'enfant. Donnez-lui de faibles doses d'ibuprofène ou de paracétamol toutes les quatre heures.

Gaz

Des gaz peuvent se former dans les intestins du bébé. Ce phénomène se produit souvent au moment d'un repas, et il se peut que cela passe naturellement. Les symptômes sont des rots, des flatulences et des pleurs. L'enfant relève les genoux vers le ventre.

Pour réduire ce phénomène, faites faire un rot à l'enfant après chaque repas. Si vous allaitez, bannissez de votre table les produits donnant des gaz, comme les haricots et le chou. Tenez le bébé dans une position qui lui permettra d'évacuer les gaz (voir p. 201). Le chargé de maintenance du bébé pourra aussi vous prescrire un traitement adapté.

Hoquet

Très courant chez le nouveau-né, le hoquet provient d'un dysfonctionnement temporaire du diaphragme. Essayez les techniques suivantes pour faire cesser le hoquet.

⚠ ***ATTENTION** : N'essayez pas de faire passer le hoquet du bébé avec des « trucs » pour adultes. Ne bloquez pas sa respiration et ne lui faites pas peur avec un bruit fort.*

- Soufflez sur son visage. Cela l'incitera peut-être à inspirer rapidement et à modifier le mouvement de son diaphragme.
- Donnez-lui à manger. Il déglutira et respirera avec régularité, ce qui fera peut-être passer le hoquet.
- Sortez le bébé. L'air frais fera peut-être changer le rythme de sa respiration.

Piqûres d'insectes

Les piqûres ne constituent un danger qu'en cas de réaction allergique grave. Parmi ces réactions, on compte : douleurs abdominales, vomissements, difficultés respiratoires et rougeurs (ailleurs qu'à l'endroit de la piqûre). Dans ce cas, contactez immédiatement le chargé de maintenance du bébé. Une réaction peu importante, comme une démangeaison à l'endroit de la piqûre, peut être traitée avec une compresse froide, maintenue en place pendant 15 minutes au moins, ou aussi longtemps que le bébé le tolère.

⚠ ***ATTENTION** : Testez la température de la compresse sur vous avant de la poser sur le bébé. Ne placez jamais un sac rempli de glace en contact direct avec la peau, mais entourez-le d'une serviette sèche.*

Trémulations

Il s'agit de tremblements peu importants (généralement dans les bras et les jambes), pouvant être confondus avec des frissons. Relativement courantes chez le nouveau-né, les trémulations disparaissent généralement entre trois et six mois. Si le bébé est atteint de trémulations particulièrement spectaculaires, contactez son chargé de maintenance.

Conjonctivite

D'origine infectieuse ou allergique, cette inflammation peut toucher un œil ou les deux yeux du bébé. Lorsqu'elle est provoquée par une infection, la conjonctivite est contagieuse. Les utilisateurs du bébé devront donc se laver les mains régulièrement. Bien traitée, elle disparaît en quelques jours.

Parmi les symptômes, on compte un rougissement de l'œil et de l'intérieur de la paupière, ainsi que des sécrétions jaune verdâtre. Si l'enfant essaie de se frotter les yeux, ne le laissez pas faire. Emmaillotez-le éventuellement pour l'en empêcher (voir p. 50). Si vous pensez que le bébé a une conjonctivite, ne le mettez pas en contact avec d'autres enfants et contactez son chargé de maintenance.

Reflux gastro-œsophagien

Le reflux est provoqué par la remontée de liquides acides dans l'œsophage, due à la mauvaise fermeture d'une valve entre l'œsophage du bébé et son estomac. Ce phénomène, qui se produit au cours des premières semaines, peut durer plusieurs mois.

Parmi les symptômes, on compte la régurgitation des liquides peu après leur ingestion, l'irritabilité, les pleurs fréquents et les douleurs abdominales. Le bébé se cambre, et il mange plus souvent, mais moins longtemps. Si vous pensez que votre bébé a un reflux, contactez son chargé de maintenance, qui pourra vous recommander d'épaissir son lait avec des céréales ou de le mettre en position inclinée après les repas ou pour dormir, ou bien encore vous prescrire différents médicaments antiacides.

Dents

À la naissance, le bébé est livré avec des dents préinstallées, qui émergent automatiquement des gencives au cours du deuxième semestre de fonctionnement. Ce processus, appelé poussée dentaire, est douloureux.

Le bébé dont les dents poussent salive abondamment, il mordille des objets durs, il se réveille la nuit et il est agité. Il se peut aussi qu'il ait le nez bouché ou le nez qui coule, la diarrhée ou un peu de fièvre. L'utilisateur ne peut pas faire grand-chose, si ce n'est atténuer l'inconfort de l'enfant en augmentant le nombre de siestes ou en lui proposant des objets froids à mordiller, ou des anneaux de dentition (disponibles en pharmacie ou dans les magasins de puériculture). Le chargé de maintenance du bébé pourra éventuellement prescrire des doses adaptées d'ibuprofène, de paracétamol ou un anesthésiant local.

Cordon ombilical

À la livraison du bébé, vous remarquerez quelques centimètres de cordon ombilical sur son ventre. Gardé bien sec et propre, il devrait se dessécher et tomber au bout d'environ deux semaines. Il arrive que l'ombilic s'infecte : consultez un médecin d'urgence. En effet, le cordon ombilical étant directement relié au système sanguin du bébé, une infection se propagerait rapidement.

Un ombilic infecté est rouge, enflé ou purulent, et l'enfant a de la fièvre. Si vous pensez que l'ombilic de votre bébé s'est infecté, contactez son chargé de maintenance, qui pourra décider de prescrire un traitement adapté.

Réactions à un vaccin

Il est possible que le bébé fasse une réaction allergique ou d'une autre nature à l'un des vaccins effectués par son chargé de maintenance. La plupart des réactions sont liées au DTCoq-polio (diphtérie, tétanos, coqueluche et polio). Toutefois, elles restent rares. Ces réactions, qui surviennent immédiatement après le vaccin, ou peu de temps après, se traitent facilement.

Elles provoquent de la fièvre, de l'irritabilité, un gonflement ou des rougeurs à l'endroit de la vaccination, ou même un choc anaphylactique (une réaction grave, avec urticaire et difficultés respiratoires). Si vous pensez que l'enfant fait une réaction au vaccin (surtout si sa respiration est perturbée), appelez immédiatement le SAMU. Si les symptômes sont moins graves, contactez son chargé de maintenance.

Les mesures suivantes vous permettront de soulager l'enfant en cas de réactions bénignes :

[1] Consultez le chargé de maintenance : il vous prescrira peut-être de l'ibuprofène ou du paracétamol contre la fièvre et la sensation d'inconfort.

[2] Placez un coussin thermique rempli de gel, chaud ou froid, à l'endroit de l'injection. Certains modèles préfèrent de la chaleur pour soulager la douleur, d'autres du froid. Essayez les deux, pour déterminer la méthode compatible avec votre modèle. Testez au préalable la température du coussin pour éviter d'endommager la peau de l'enfant.

PAROLE D'EXPERT : *Le chargé de maintenance du bébé définira les dates des rappels. Ces mises à jour seront notées sur le carnet de santé de l'enfant. Donnez à l'enfant une dose d'ibuprofène ou de paracétamol adaptée à son poids une demi-heure avant d'aller chez le chargé de maintenance, puis au cours des 24 heures qui suivent, pour atténuer l'inconfort.*

Vomissements

Au cours de cette opération banale mais parfois spectaculaire à la fois pour l'utilisateur mais aussi pour le bébé, celui-ci rejette le contenu de son estomac par la bouche. Les causes peuvent être multiples : intolérance alimentaire, troubles intestinaux, reflux, traumatisme crânien, méningite (voir p. 216) ou autre. Par conséquent, la durée du vomissement dépend de son origine. Si le bébé vomit, contactez son chargé de maintenance et suivez les conseils donnés pour prévenir la déshydratation, p. 206.

Prévention de la mort subite du nourrisson

On parle de mort subite du nourrisson lorsqu'un bébé en bonne santé meurt brutalement, de manière inattendue. Si les causes précises de la mort subite restent inconnues, plusieurs instituts de recherche prodiguent des recommandations permettant de réduire le risque de mort subite. Pour connaître les conseils les plus récents, consultez le chargé de maintenance du bébé. Les mesures suivantes permettent de réduire le risque de mort subite.

- Faites dormir le bébé sur le dos.
- Faites-le dormir sur un matelas ferme.
- Retirez animaux en peluche, oreillers et couvertures du lit de l'enfant. Couvrez le bébé jusqu'à l'abdomen avec un drap léger. Passez ses bras par-dessus le drap.
- Ne l'habillez pas trop chaudement. La température de la chambre doit être agréable (entre 18 et 20 °C).
- Allaitez le bébé.
- Ne l'exposez pas à la fumée de cigarette.
- Demandez aux visiteurs de se laver les mains avant de toucher le bébé.
- Ne laissez pas des visiteurs atteints d'infections respiratoires s'approcher de lui.

Allongez le bébé sur le ventre uniquement lorsqu'il est réveillé.

⚠ ***ATTENTION** : C'est au cours du 1er et du 4e mois que les risques de mort subite sont les plus élevés. Ils sont également accrus si l'enfant est prématuré, s'il a été exposé* in utero *à des médicaments non prescrits par un médecin, ou si un enfant de sa fratrie est décédé de mort subite.*

Savoir reconnaître les maladies graves

Tous les utilisateurs doivent pouvoir reconnaître les symptômes de méningite, de pneumonie, de convulsions et de bronchiolite. Si votre modèle commence à présenter les symptômes décrits ci-dessous, suivez les conseils donnés et contactez immédiatement son chargé de maintenance.

PAROLE D'EXPERT *: Fiez-vous à votre instinct. Si vous avez le sentiment que quelque chose ne va pas, n'hésitez pas à appeler le chargé de maintenance du bébé.*

Méningite

D'origine virale ou bactérienne, cette infection des méninges peut avoir des effets à long terme sur la santé du bébé et entraver son développement neurologique. Heureusement, beaucoup de méningites se guérissent.

Les symptômes sont les suivants : fièvre, irritabilité, léthargie, vomissements, convulsions, fontanelle bombée (due à un accroissement de la pression dans le cerveau). Si vous pensez que votre enfant pourrait être atteint de méningite, consultez ou allez aux urgences immédiatement.

Pneumonie

Cette infection d'origine virale ou bactérienne touche les alvéoles du poumon. La plupart des formes se guérissent complètement.

Les symptômes sont : toux, fièvre, accélération de la respiration (plus de 30 à 40 inspirations par minute), dépression de la peau entre les côtes. Si vous pensez que votre bébé pourrait avoir une pneumonie, consultez ou allez aux urgences immédiatement.

Convulsions

Les convulsions surviennent lorsqu'une activité électrique anormale du cerveau entraîne une activité neuromusculaire dans le corps. Elles peuvent avoir différentes causes : méningite, déséquilibre du métabolisme, blessure à la tête, anomalies congénitales, fièvre, etc. La plupart des convulsions, toutefois, sont idiopathiques, ce qui signifie qu'elles n'ont pas de cause spécifique.

En cas de convulsions, les bras et les jambes de l'enfant sont agités de secousses incontrôlables durant une période relativement longue, allant de 30 secondes à 10 minutes. Pendant ou après les convulsions, il est possible que l'enfant vomisse, perde le contrôle de son sphincter et de sa vessie, ou devienne somnolent.

En cas de convulsions, allongez l'enfant sur le côté. Cela l'empêchera de s'asphyxier s'il vomit. Ne mettez rien dans sa bouche, pour lui permettre de respirer. Une fois les convulsions passées, contactez le chargé de maintenance du bébé.

PAROLE D'EXPERT *: Si les convulsions durent plus de deux minutes, ou si elles empêchent l'enfant de respirer, appelez immédiatement le SAMU.*

Bronchiolite

Cette infection virale affecte les bronchioles, dans les poumons. La plupart des bébés atteints de bronchiolite ont généralement moins d'un an. Cette infection contagieuse se transmet aussi bien aux bébés qu'aux adultes. Toutefois, le virus est plus dangereux pour les bébés.

Les symptômes sont les suivants : toux, respiration rapide (plus de 30 à 40 respirations par minute), fièvre et sifflement. Si vous pensez que votre bébé a une bronchiolite, contactez immédiatement son chargé de maintenance.

Index

D

E

F

Q

R

S

Certificat du propriétaire

Félicitations ! Maintenant que vous avez étudié les instructions de ce manuel, vous voici parfaitement préparé à prendre soin de votre nouveau bébé. Grâce à votre attention et votre affection, votre bébé vous procurera de nombreuses années de plaisir et de bonheur.

Amusez-vous bien !

Nom du propriétaire

Nom du bébé

Date d'acquisition de l'unité

Sexe du bébé

Poids à la naissance

Couleur des yeux

Taille à la naissance

Couleur des cheveux

Les auteurs

Pédiatre et membre de l'American Academy of Pediatrics, le DR LOUIS BORGENICHT exerce à Salt Lake City, aux États-Unis, où il a son cabinet depuis 16 ans. Il est également professeur assistant de pédiatrie à l'école de médecine de l'université de l'Utah, et membre du comité de direction de l'ONG Physicians for Social Responsibility. En 2002, le *Ladies' Home Journal* lui a décerné le titre de meilleur pédiatre de l'Utah. Le Dr Borgenicht est marié. Son épouse, Jody, quant à elle, finit par apprendre à faire ses nuits pendant que son mari est appelé en urgence.
JOE BORGENICHT est un jeune papa qui appelle souvent son pédiatre de père pour lui demander conseil. Il est aussi écrivain, producteur de télévision et co-auteur de *The Action Hero's Handbook*. Il vit à Salt Lake City avec son épouse, Melanie, et leur fils Jonah (toujours parfaitement opérationnel, dix-huit mois après sa mise en service).

Les illustrateurs

PAUL KEPPLE et JUDE BUFFUM sont plus connus sous le nom de HEADCASE DESIGN, du nom de leur studio de Philadelphie. Leurs travaux ont été publiés dans de nombreuses revues de design, comme *American Illustration*, *Communication Arts* et *Print*. Paul a travaillé durant de longues années pour Running Press Book Publishers avant de fonder Headcase, en 1998. Tous deux sont diplômés de la Tyler School of Art, où ils enseignent désormais. Lorsque Jude était petit, ses utilisateurs le programmaient fréquemment en mode sommeil pour des périodes prolongées. Les utilisateurs de Paul, quant à eux, ont tenté à plusieurs reprises de retourner leur modèle au fabricant, estimant que l'absence totale de cheveux sur son crâne constituait de toute évidence un défaut de fabrication.